# HARLEQUIN SEDUCTION

Un homme…

 Une femme…

  Une aventure…

Partagez leurs joies,
leurs peines,
la fascinante découverte
d'horizons lointains,
d'un amour nouveau,
où la passion
règne en maîtresse..

HARLEQUIN SEDUCTION

MAUREEN BRONSON

Tendre verdict

HARLEQUIN

Cet ouvrage a été publié en langue anglaise
sous le titre :

TENDER VERDICT

Originally published by
Harlequin Books, Toronto, Canada

© 1985, Maureen Woodcock-Antoinette Bronson
© 1985, traduction française : Edimail S.A.
53, avenue Victor-Hugo, Paris XVIe - Tél. 500.65.00
ISBN 2-280-07126-6
ISSN 0750-6864

1

ANNA ralentit sa course en approchant du palais de justice, et s'arrêta, haletante, devant les marches de l'imposant édifice. Elle était en avance, et prit le temps d'inspirer à pleins poumons l'air chargé de senteurs marines. Dans son short bleu azur et son tee-shirt assorti, elle offrait sans le savoir un charmant tableau aux passants.

La circulation matinale de Seattle était comme toujours encombrée et les automobilistes, forcés de ralentir, souriaient en contemplant cette ravissante silhouette qui se tenait si droite, les poings sur les hanches. Mais même les sifflets admiratifs ne troublaient nullement l'attention d'Anna. Elle était en effet depuis toujours, indifférente aux hommages masculins. Comme elle n'attachait aucune importance à son apparence physique, elle n'imaginait même pas que d'autres puissent la juger remarquable. Car elle s'investissait tout entière dans sa profession, et entretenait simplement sa forme afin d'être plus efficace dans son travail.

— Aïe ! gémit-elle à haute voix.

Une grimace fugitive passa sur son visage légèrement hâlé, aux traits réguliers.

— Je n'aurais pas dû tant forcer, marmonna-t-elle en

se penchant pour masser son mollet droit. Je vais devoir le payer, maintenant.

Sa mère s'inquiétait parfois de cette habitude de parler toute seule, qu'elle appelait une « ride » dans son caractère. En fait, et Anna le savait, elle insinuait par là que sa fille prenait des manies de vieille demoiselle esseulée. Aux yeux de ses parents, tous deux immigrés russes, une célibataire de trente ans était en effet bien pitoyable.

Mais Anna était loin de telles préoccupations. Sa carrière, les cours qu'elle donnait, et le sport emplissaient sa vie. La solitude était pour elle un concept absurde. Tout le monde n'avait pas besoin de se marier, sa mère finirait par le comprendre.

Toujours pliée en deux, Anna étirait sa jambe de toutes ses forces, les orteils en crochet, afin d'atténuer la contracture. Le dos tourné à la rue, elle n'aperçut pas le taxi qui s'arrêta derrière elle, ni les deux hommes qui en descendirent. L'un deux, sa carrure d'athlète élégamment soulignée par un veston de tweed, recula en saluant son compagnon :

— Rassure-toi, Charlie, je serai prudent. Ma conduite sera irréprochable, pour ne pas offenser dès le premier jour cette vieille carabosse.

Son élocution soignée et le terme un peu désuet de *carabosse* intriguèrent Anna. Elle commença à se redresser pour voir qui donc s'exprimait ainsi, quand un choc contre son postérieur lui arracha un cri de surprise :

— Oh !

L'inconnu, en agitant inconsidérément son attaché-case, l'avait heurtée par inadvertance. Projetée en avant, elle s'érafla les coudes sur les marches de béton. Aussitôt, le fautif jeta à terre sa mallette et se précipita pour relever Anna. Avec des gestes très doux, il épousseta ses bras, et déclara :

— Je suis vraiment confus. Je ne vous avais pas vue.

— J'ose l'espérer, rétorqua-t-elle avec aigreur. Mais pourriez-vous cesser de me malmener, à présent ?

Il lâcha ses poignets et tira de sa poche un mouchoir immaculé, qu'il appliqua aussitôt à ses plaies. Gênée de s'être ainsi emportée, Anna reprit :

— Ce n'est pas grave, je vais aller nettoyer cela. Excusez-moi de vous avoir agressé de la sorte, mais vous m'aviez un peu secouée.

Pour ne pas paraître rancunière, elle considéra franchement le visage du jeune homme, et rencontra un regard d'un bleu inouï. Troublée, elle dut faire appel à toute sa volonté pour ne pas se détourner. Dans les yeux pétillants de l'inconnu elle discerna une lueur amusée, qu'il essayait de réprimer. Malgré ses efforts cependant, un demi-sourire flottait sur ses beaux traits anguleux, et sa lèvre supérieure, ombrée d'une moustache blonde, frémissait de rire contenu. Trouvait-il donc si drôle de l'avoir renversée ? s'indigna-t-elle.

— Merci de votre sollicitude, commenta-t-elle avec raideur. Mais vous ne méritez pas ma reconnaissance, puisque vous avez causé l'incident et que vous semblez vous réjouir fort de votre exploit.

Elle arracha brutalement le bras qu'il tamponnait.

— Eh bien ! s'exclama-t-il. Vous n'avez rien d'une frêle damoiselle sans défense ! J'avoue avoir toujours rêvé de secourir une belle dame en détresse, mais sachez, Miss Tempête, que je n'ai jamais songé à provoquer moi-même sa chute.

Il lui sourit alors d'un air engageant, comme un garçonnet pris sur le fait.

— Si vous en êtes arrivé là, allez vous chercher une victime consentante, jeta Anna.

Sur ces mots elle tourna les talons et pénétra d'un pas

rageur dans le palais de justice. Son mollet encore endolori l'empêchait de courir.

— Eh, minute ! héla-t-il en la rattrapant. Honnêtement, je suis navré, croyez-moi. Pardonnez ma maladresse et ma stupidité.

Cette fois son expression était des plus sérieuses, sa voix pressante et sincère. Anna sentit fondre sa rancœur.

— Je ne me moquais pas de vous, je vous assure, implora-t-il encore.

— Très bien, céda-t-elle dans un soupir. Désolée de l'avoir si mal pris.

Ravi, il s'empara chaleureusement de ses épaules.

— Vous êtes bonne joueuse, Miss Tempête. Permettez-moi de vous offrir l'apéritif, en fin de journée. Un bon grog pour guérir l'âme et le corps.

— Un grog ! Et tout à l'heure, une carabosse ! fit-elle en riant. Parlez-vous toujours de façon si désuète ? Et à ce propos, qui est donc la sorcière à laquelle vous faisiez allusion au moment de me bousculer ?

Son sourire creusa deux fossettes dans ses joues.

— Une redoutable ogresse à laquelle j'aurai affaire ce matin. Mais je préfère ne pas en parler, pour ne pas gâcher une journée qui débute sous d'aussi favorables auspices. Alors, acceptez-vous pour ce soir ?

Plus enjôleur que jamais, il se mit à caresser du bout des doigts le catogan auburn de la jeune femme. Elle l'étudia quelques secondes, consciente de l'attrait qu'il exerçait sur elle. Il s'exprimait avec la distinction d'un acteur shakespearien, tout en affichant une certaine allure canaille. Le mélange était des plus déconcertants.

Elle se rendit compte soudain qu'il la scrutait non moins attentivement. Pour rompre le charme puissant du regard échangé, elle se dirigea résolument vers les ascenseurs et pressa le bouton d'appel.

— Un rafraîchissement après le travail ? reprit-elle avec une feinte désinvolture. Je ne dis pas non.

— Formidable ! A quelle heure votre patron vous libère-t-il ?

Piquée, elle se tourna vers lui et lança :

— Et si c'était moi, le patron ?

Pourquoi fallait-il inévitablement que les hommes fassent de pareilles suppositions ? songea-t-elle avec fureur. Pour eux, toute femme était d'office classée comme secrétaire, ils n'imaginaient pas de rôles moins conventionnels. Comment avait-elle pu envisager un seul instant de gaspiller son précieux temps libre avec un être aussi insipide ?

— Ne prenez pas la mouche, pria-t-il, apaisant.

Elle le regarda s'approcher de quelques pas, d'une démarche aussi élégante que puissante. Dommage que sous cette séduisante façade se cache une personnalité si banale, regretta-t-elle intérieurement. Mais c'était sans doute mieux ainsi. Puisqu'ils étaient de tempéraments aussi incompatibles, elle ne risquait pas de succomber à son charme.

Il s'était appuyé au mur de marbre derrière elle, son bras passé au-dessus de son épaule. Ainsi dominée, elle percevait un léger effluve épicé d'après-rasage. C'était agréable. Elle détestait les eaux de toilette trop fortes.

— Je ne voulais pas vous offenser, reprit-il. Sans doute occupez-vous un poste important. Vous me paraissez plus qu'assez intelligente et vive pour cela...

A nouveau son ton prenait des accents taquins, et Anna se raidit. Une telle proximité la perturbait de façon troublante. Si seulement un ascenseur arrivait ! Sans cette jambe endolorie, elle aurait emprunté l'escalier.

— Laissez-moi tranquille, jeta-t-elle. Votre attitude

paternaliste me déplaît. Vous ignorez qui je suis, et vos hypothèses sont irritantes.

— Miss Tempête est susceptible, dirait-on.

— Et cessez de m'attribuer ce sobriquet ridicule, ordonna-t-elle.

Enfin elle entendit une discrète sonnerie. Elle entra prestement dans la cabine dont les portes s'ouvraient, et quand il tenta de l'y suivre, elle le repoussa fermement.

— Pas question. Ici se termine une brève et inopportune relation. Adieu, monsieur.

— Comment ? Pas d'apéritif ? protesta-t-il en reculant.

— Ni ce soir, ni jamais, déclara-t-elle d'un ton définitif.

Dépité, il vit se refermer les parois coulissantes. Dans l'appareil, Anna se félicita d'avoir opposé une fin de non-recevoir aussi nette à ses avances déplacées.

Au quatrième étage, elle descendit et dépassa l'entrée du prétoire numéro quatre, avant d'atteindre le lourd battant en chêne donnant sur le cabinet du juge *A. Provo*. Avec un plaisir renouvelé, elle caressa du bout des doigts la plaque de cuivre gravée. Une profonde inspiration l'aida à recouvrer sa sérénité, et elle poussa la porte en souriant.

— Bonjour, Miriam, annonça-t-elle.

— Bonjour, juge Provo, répondit sa secrétaire. Avez-vous bien couru, ce matin ? Le temps était idéal.

— J'ai eu un début de journée très... stimulant, en effet, convint Anna. Avez-vous pu dactylographier mes notes ?

— Bien sûr. Les voici.

Elle prit les papiers que lui tendait Miriam et pénétra dans son bureau personnel. Après avoir déposé les feuillets sur la table, elle souleva le mouchoir collé à son coude gauche. Heureusement, le sang ne coulait plus. Cette vilaine éraflure cicatriserait rapidement.

Que faire du linge souillé ? se demanda-t-elle. Le jeter, ou le faire nettoyer ? Pour le rendre à qui ? Elle n'avait aucune idée de l'identité de son possesseur.

Un soupir de regret lui échappa; dommage qu'ils ne se soient pas mieux entendus, tous les deux ! Les initiales JB brodées sur le carré de batiste étaient son unique lien aux yeux étonnamment bleus qui avaient provoqué son émoi. Mais sous ses manières courtoises cet homme n'était qu'un balourd prétentieux, se rappela-t-elle avec détermination. Et pourtant... quel charme, quelle douceur perçaient à travers son arrogance !

Décidément, elle perdait beaucoup trop de temps sur cet inconnu voué à l'oubli. Anna se ressaisit et passa sous la douche.

Une demi-heure plus tard, loin de ces pensées dérangeantes, elle revêtait la grande robe sombre caractérisant sa fonction. Elle ne prenait pas à la légère l'autorité dont elle était investie. Sa vie privée passait complètement au second plan, au profit de la justice qu'elle s'était engagée à faire respecter. Calme et résolue, elle ouvrit la porte de son bureau et gagna le prétoire. A son entrée, l'huissier proclama :

— Mesdames et messieurs, levez-vous. La séance est ouverte dans le Tribunal Municipal de King County. Elle sera présidée par l'honorable juge Anna Provo.

Le premier dossier était intitulé : *l'état de Washington contre Samuel T. Barnett.* Anna exhala un soupir : encore le vieux Sam ! Il avait déjà comparu maintes fois devant elle, et sans doute cette nouvelle audience ressemblerait-elle aux précédentes. A soixante-dix huit ans, Sam était devenu un kleptomane invétéré. Au vu et au su de tous, il glissait un article quelconque dans sa poche, et se faisait aussitôt arrêter. Le vieillard ne pensait pas à mal. Simplement, ses menus larcins lui procuraient l'attention des nombreux personnages qui s'affairaient autour de son cas.

Anna examina les personnes présentes afin d'identifier les défenseurs de Sam. Ses yeux s'arrêtèrent immédiatement sur l'homme assis à côté de l'accusé. Elle consulta son registre : Joshua Brandon. Le JB du mouchoir ! Et elle-même était carabosse, comprit-elle...

D'après son air déconcerté, Joshua Brandon n'était pas moins surpris qu'elle. Il ne s'attendait sûrement pas à plaider sa cause devant la « mignonne petite employée » rencontrée sur les marches du tribunal.

Consciente de son malaise, Anna eut envie de le laisser sur les charbons ardents. Mais elle se ravisa et soutint franchement le regard bleu de l'avocat, afin de lui faire savoir que leur altercation n'influerait nullement sur son jugement.

— Messieurs, pouvons-nous commencer ? s'enquit-elle à l'adresse des juristes.

— L'accusation est prête, votre honneur.

— La défense est prête, votre honneur.

— Dans ce cas, je vous écoute.

Joshua inspira profondément pour ralentir les battements affolés de son cœur. Tant de malchance lui paraissait si injuste ! Non content de renverser une femme sur les marches du palais, il avait choisi le magistrat devant lequel il allait défendre sa première affaire. Quel début ! Heureusement, en vraie professionnelle, Anna Provo ne se laisserait probablement pas influencer par des préjugés personnels. En s'adjurant au calme, Joshua se concentra sur le discours du procureur. Au fur et à mesure des arguments avancés, il vérifia la stratégie qu'il avait préparée.

Pendant ses études, Joshua avait vite atteint la même conclusion que ses condisciples : en matière de droit, ce n'est pas tant la loi qui prime, que les êtres humains qui l'appliquent. Le cas lui-même comptait moins que la façon dont il était présenté, et les précédents retrouvés à valeur de jurisprudence. Un bon avocat devait être au départ un acteur, dont la prestation serait évaluée par le juge et les jurés.

Bien qu'il ne s'agisse aujourd'hui que d'une audience préliminaire, Joshua avait soigneusement étayé son dossier. Le vieux Sam l'apitoyait. Il devait bien exister une solution à sa solitude. Mais laquelle ?

Ce fut à son tour de prendre la parole :

— Votre honneur, débuta-t-il solennellement. Monsieur Barnett ici présent a consenti volontairement à la fouille par un agent de la force publique. Mais il en ignorait les suites juridiques.

— Objection, votre honneur, contra l'accusation par la voix de Tom Randolph. Le consentement volontaire équivaut à l'abandon des droits garantis par le quatrième amendement de la constitution.

— Cependant, votre honneur, riposta Joshua, étant donné les antécédents de mon client, cette allégation ne tient pas. Monsieur Barnett est un récidiviste. N'aurait-il donc pas dû connaître les conséquences de sa docilité ?

— Je suis pleinement consciente des précédentes infractions du prévenu, monsieur Brandon, répliqua Anna. Pour quelle raison se serait-il donc soumis à la fouille ?

— Aucune, justement, expliqua Joshua. Le problème est qu'il n'a simplement pas compris ce qui se passait. Monsieur Barnett est assez âgé, et sujet à une certaine confusion mentale.

Anna étudia rapidement les faits, pour déterminer si

l'inculpation était suffisamment solide pour justifier une plus ample instruction. Elle estima finalement que les chefs d'accusation appelaient une procédure à l'encontre de Sam Barnett.

— Veuillez déterminer avec le greffier la date de mise en jugement, conclut-elle. Messieurs, la séance est levée.

Joshua rassembla ses documents et les rangea dans sa mallette, content d'avoir bien défendu son client. Il procédait avec lenteur, afin de pouvoir observer Anna qui attendait l'affaire suivante. Quand elle ôta ses lunettes quelques instants, il admira ses immenses yeux mordorés. Pourquoi cachait-elle ainsi leur beauté, au lieu de porter des lentilles de contact ?

De son côté, Anna l'épiait furtivement tandis que Tom Randolph s'approchait de lui pour se présenter. Les deux hommes représentaient des extrêmes opposés, songea-t-elle. Son vieil ami Tom semblait échevelé, presque négligé face à l'élégance de son adversaire. Anna s'irrita de trouver aussi séduisant ce Joshua Brandon. D'autant plus qu'elle allait être amenée à travailler encore avec lui. Mais d'ici le procès, peut-être aurait-elle maîtrisé l'attirance ridicule qu'il lui inspirait ?

2

Au cours des quatre semaines suivantes, les apparitions de Joshua Brandon ponctuèrent régulièrement la vie d'Anna. Un soir, dans la cohue du palais de justice, ils posèrent la main au même instant sur une revue au stand de journaux. Comme il s'agissait du dernier exemplaire de l'*Esquire*, le jeune homme l'abandonna galamment à Anna.

— Pourrai-je vous l'emprunter quand vous l'aurez terminé ? demanda-t-il

— Bien sûr, répliqua-t-elle avec un feint détachement.

La lumière jouait de façon troublante sur ses cheveux blanchis par le soleil. Elle se ressaisit, et détourna les yeux.

— Avez-vous lu l'article du mois dernier sur la sécheresse en Afrique ? s'enquit-il.

— Je l'ai commencé, mais le sujet était un peu trop aride à mon goût, ironisa-t-elle.

Elle paya le vendeur et s'éclipsa sans plus tarder. Mais le rire chaleureux de Joshua la suivit. Impossible d'échapper à l'émoi qu'il suscitait en elle.

En la regardant s'éloigner, il s'était souri à lui-même. La vivacité d'esprit de cette femme le séduisait, ainsi que les piques verbales qu'elle lui lançait pour se défendre. Il se réjouissait déjà de leurs futures joutes oratoires.

Anna, cependant, déployait d'habiles tactiques pour l'éviter, sitôt qu'elle l'apercevait dans les couloirs encombrés du tribunal. Mais elle était parfois contrainte de supporter sa présence. Elle aimait prendre son petit déjeuner dans la cafétéria du palais, et croisait souvent son regard dans la salle. Il s'installait généralement avec d'autres avocats de la défense publique, aussi ne s'en alarmait-elle pas trop.

Un matin, elle constata avec soulagement qu'il n'était pas là, et emporta son plateau à une table libre. Elle se plongea dans son journal, et ne remarqua pas qui s'asseyait en face d'elle.

— Bonjour, juge Provo.

Elle reconnut les intonations distinguées de Joshua, et abaissa à peine son quotidien pour lui accorder un bref coup d'œil.

— Puis-je me joindre à vous ?

— S'il le faut absolument, répondit-elle à contrecœur.

— Je n'ai pas le choix.

Elle considéra rapidement les alentours, et force lui fut de constater qu'il ne restait de place nulle part ailleurs. Mais rien ne l'obligeait à se montrer aimable, et après avoir acquiescé, elle reprit sa lecture.

— Tom et vous êtes de vieux amis, m'a-t-il dit, remarqua Joshua pour tenter d'engager la conversation.

Anna replia méticuleusement son quotidien, se leva, et jeta d'un ton dédaigneux :

— De vieux amis, en effet. Et je n'en cherche pas d'autres.

— Vous ne risquez pas d'en trouver, rétorqua-t-il.

Piquée par cette raillerie, elle quitta la cafétéria d'un pas furieux, et décida de ne plus y revenir manger. Il lui en coûtait pourtant de renoncer à cette habitude. Elle trouvait inadmissible que cet homme empiète ainsi sur sa vie privée !

Elle ne put, hélas, l'éviter longtemps. Quatre jours plus tard eut lieu le jugement de Sam Barnett. Quand elle entra au prétoire, elle se raidit d'avance et afficha sa plus sévère expression. L'accusation fut présentée, puis Anna demanda :

— Que plaidez-vous, monsieur Barnett ?

Joshua répondit pour son client :

— Il plaide coupable. En contrepartie, il lui a été promis qu'une sentence légère serait recommandée.

— Acceptez-vous cette proposition, monsieur Randolph ?

— Oui, votre honneur, convint Tom.

— Monsieur Brandon, avez-vous une suggestion pour la cour ? s'enquit-elle.

— Je sollicite pour l'accusé une peine sous forme de services à rendre à la collectivité.

— Cette idée vous satisfait-elle, monsieur Randolph ?

— Oui, votre honneur.

— L'un de vous voit-il une objection à suspendre la séance, pour nous retrouver dans mon bureau à... disons onze heures ?

Les deux avocats acquiescèrent.

De retour dans ses quartiers, Anna réfléchit au problème. Le vieux Sam ne pouvait continuer à embouteiller tout le système judiciaire, avec ses incartades répétées. Il fallait trouver un moyen, une occupation qui lui procurerait assez de contacts humains pour qu'il n'éprouve plus le besoin de voler.

Le temps s'écoula rapidement, mais à l'heure dite Anna avait trouvé une solution. Le Conseil du troisième âge venait de mettre sur pied un nouveau programme de grands-parents nourriciers, à l'hôpital d'orthopédie infantile. Sam serait réquisitionné chaque jour pour lire des histoires aux enfants hospitalisés, jouer avec eux et aider à les nourrir. Certains des jeunes malades mettaient plusieurs mois à guérir de leurs opérations. Il était crucial pour eux d'avoir une compagnie constante. Avec cela, Sam n'aurait plus une minute à lui pour chaparder !

Anna pressa le bouton de l'interphone, et pria Miriam de lui envoyer messieurs Randolph et Brandon. Les deux hommes pénétrèrent dans la pièce quelques secondes plus tard.

— Veuillez vous asseoir, invita-t-elle en désignant les chaises disposées en face d'elle.

Avec l'œil exercé d'une observatrice attentive, elle nota la coupe parfaite des vêtements de Joshua, qui dessinaient à ravir ses larges épaules et l'étroitesse de ses hanches. De toute évidence, il venait d'un milieu nanti. Pourquoi donc travaillait-il pour la défense publique ?

Elle tendit la main à son ami Tom. Il avait fait couper ses cheveux châtain, ce qui lui conférait une apparence plus sérieuse.

— Bonjour, Tom. Comment vas-tu ? l'interrogea-t-elle.

— Très bien, Anna. Et toi ?

— Moi aussi, merci. Monsieur Brandon ?

Sa poignée de main était chaude et ferme, remarqua-t-elle. Elle s'étonna cependant de sentir dans sa paume des callosités importantes. Comme il prolongeait imperceptiblement le contact, elle se résolut à affronter son regard, et y lut une évidente gratitude.

Joshua regrettait qu'ils ne fussent pas seuls; il lui aurait exprimé de vive voix ses remerciements. Il lui était si reconnaissant d'avoir surmonté son antipathie pour lui,

et d'avoir accepté en toute équité sa proposition ! Il se
félicita une fois encore d'avoir choisi cette nouvelle voie
professionnelle. Sa reconversion lui réussirait, il en était
de plus en plus convaincu.

— Ne vous réjouissez pas trop tôt, Joshua, l'avisa
Tom. Je connais Anna depuis longtemps, et j'ai perdu
trop de procès avec elle pour penser que sa bienveillance
influe sur ses décisions.

Joshua eut un sourire entendu.

— J'ai moi-même eu l'occasion de constater son indépendance d'esprit.

Déconcertée, Anna toussota et commenta :

— Eh bien, si nous en avons fini avec les politesses,
nous pourrions peut-être nous remettre sérieusement au
travail ?

Elle leur exposa succinctement son idée, et guetta
leurs réactions. Manifestement, Joshua approuvait son
plan, et encouragerait son client à accepter la sentence.
Tom posa quelques questions de routine, mais semblait
également favorable. Il émit une seule réserve, demandant que Sam reste une année sous surveillance, afin
d'éviter une rechute. Anna accepta cette stipulation, et
déclara :

— Retournons à l'audience pour annoncer officiellement nos conclusions.

Mais Tom voulait d'abord consulter son superviseur.
Anna lui accorda vingt minutes.

Joshua attendit avec elle dans son bureau, au grand
dépit de la jeune femme. Maintenant que la cause était
entendue, qu'allaient-ils pouvoir se dire ? La tension
croissait d'instant en instant dans la pièce. Finalement,
elle l'interrogea avec quelque raideur :

— Y a-t-il autre chose, monsieur Brandon ?

Il hésita, caressa sa moustache.

— Oui, votre honneur... Mais un problème plus personnel. J'aimerais que nous reprenions nos relations à zéro. Et pour commencer, je serais heureux de vous offrir l'apéritif.

— Monsieur Brandon, ceci n'est ni l'heure, ni le lieu pour des questions de cette nature, l'admonesta-t-elle d'un ton glacial.

— Ma préoccupation n'est pas uniquement d'ordre privé, argua-t-il. Un nouvel avocat ne peut se permettre d'être en mauvais termes avec un juge.

— Ni de l'acheter, intima-t-elle avec colère.

Cette insinuation le mit hors de lui.

— Acheter ? Votre honneur, il s'agit d'une simple courtoisie !

— Vous vous oubliez, monsieur Brandon, lança-t-elle. Nous sommes ici dans mes quartiers, et dans ma cour de justice. Je n'y admets aucune insolence de la part des avocats. Tom ne vous a-t-il pas expliqué clairement que j'exige un respect absolu du décorum traditionnel ?

— Insolence ? Une simple offre de paix est subitement transformée en corruption et outrage à magistrat ? Voilà qui est habile, persifla-t-il.

— Je ne saurais trop vous conseiller de modérer votre langage.

Il s'appuya des deux mains sur la table et se pencha vers elle. Ses yeux bleu lançaient des éclairs. Sur son visage fermé ne subsistait plus une trace de sa bonne humeur précédente.

— C'est votre ton de voix qui m'a déplu, monsieur Brandon, précisa-t-elle pour désamorcer leur conflit.

Joshua se redressa de toute sa hauteur et se crispa dans une tentative évidente pour maîtriser son emportement.

— Dans ce cas, votre honneur, veuillez excuser mes

intonations offensantes. Ma proposition était toutefois absolument innocente.

— Alors pardonnez-moi de l'avoir mal reçue, marmonna-t-elle.

Surpris, Joshua haussa les sourcils. Lentement un sourire se peignit sur ses traits, creusant ses deux fossettes aux coins de sa bouche.

Il se dirigea sans hâte vers la porte. Allons, se dit Anna, il n'était pas si difficile à raisonner. Il lui adressa un dernier coup d'œil complice avant de sortir et, restée seule, Anna sentit fondre son animosité. Peut-être même envisagerait-elle un apéritif, un soir, avec cet homme énigmatique ?

Elle consulta sa montre; Il lui restait dix minutes avant de reprendre la séance; trop peu pour entreprendre quoi que ce soit. Elle se leva et alla se poster devant la fenêtre, d'où elle contempla l'horizon de Seattle. Les immeubles, comme ses états d'âme, étaient en dents de scie, haut, bas, haut, bas. En scrutant distraitement les passants, elle se remémora un lointain matin, et un autre avocat, bien plus jeune...

Sean et elle avaient passé la nuit au gala de leur promotion, à l'*Olympic Hotel*. Ils avaient rassemblé leurs maigres économies des derniers mois pour fêter la fin de leurs études en louant une chambre luxueuse dans l'opulent établissement.

L'après-midi s'était écoulé rapidement dans les cérémonies de remise des diplômes et les activités familiales. Chacun avait posé pour d'innombrables photos prises par les parents débordants de fierté. En surface, les deux jeunes gens affichaient un calme bien éloigné du désir qui les consumait d'échapper à toutes ces obligations pour s'autoriser un moment de passion débridée à l'hôtel.

Malgré les années écoulées, Anna sentait encore une douce chaleur envahir ses joues, en évoquant les transports que lui avait fait vivre Sean. Quel délice que de lui rendre ses fiévreux baisers ! Il lui avait donné le sentiment d'être vivante, intensément.

Ils avaient ensuite erré sans parler à travers les rues désertes de la ville. Enfin ils avaient abouti devant les marches de l'imposant palais de justice. Main dans la main, ils avaient rêvé en silence à l'avenir qui les attendait. Sean avait parlé le premier :

— Un jour je serai juge. J'aurai mon bureau là-haut au quatrième étage, et par la fenêtre j'aurai vue sur ce bras de mer, le *Puget Sound*.

Anna s'était blottie contre lui, et avait murmuré :

— Soyons la première équipe mari et femme dans la fonction. Ce sera un exploit inédit ! Nous aurons des pièces voisines, des horaires identiques, nous nous conseillerons mutuellement pour les cas difficiles...

Sean l'avait embrassée sur les cheveux, en marmonnant :

— Ne dis pas de bêtises. Tu n'auras pas le temps.

Elle s'était écartée pour l'étudier.

— Je ne comprends pas...

— Un magistrat a beaucoup de travail, voyons. Comment pourrais-tu porter une telle charge, avec des enfants à élever ? Il te faut plutôt un cabinet d'avocate dans une banlieue cossue. C'est plus réaliste, non ?

Une vague de nausée avait balayé Anna. D'une voix tremblante, elle avait affirmé :

— Je n'ai aucune intention de m'enfermer chez moi pour me consacrer à ma famille. Ce serait gaspiller toutes ces années d'études difficiles.

— Au contraire, avait-il argué. Ta formation te sera très utile, et dans un domaine particulièrement lucratif.

— Je refuse de m'embarrasser d'une clientèle ennuyeuse, de me cantonner aux querelles mesquines de couples au bord du divorce. Je veux me tailler une place dans le droit pénal. Ce champ-là aussi est rémunérateur, et surtout plus gratifiant intellectuellement. J'ai travaillé trop dur pour me contenter de moins. Du reste...

Elle avait pris une grande inspiration, avant d'ajouter :

— D'où tiens-tu que j'aie envie de devenir mère ?

Sean avait ricané, oubliant sa délicatesse habituelle.

— Une femme aussi ravissante que toi ne peut que vouloir transmettre sa superbe chevelure rousse à ses descendants.

Il avait ébouriffé ses cheveux mais Anna, en proie à une sorte de panique, avait repoussé sa main. Comment avaient-ils pu tomber amoureux, sans jamais discuter de ces problèmes de carrière et d'enfants ? Un fossé plus infranchissable que le Grand Canyon les séparait.

Plusieurs minutes encore ils avaient plaidé chacun leur cause, comme s'ils débattaient déjà devant une cour de justice. Aucun n'avait changé d'avis. Finalement Sean avait proposé de suspendre le débat, et la jeune femme avait accepté. Elle s'était toujours su incapable d'avoir des fils ou des filles, mais ne pouvait verbaliser ses craintes. Tant qu'elle ne la formulait pas, sa terreur ne serait pas en butte aux rationalisations d'autrui.

Inévitablement leurs chemins avaient divergé. Sean travaillait actuellement sur la côte est, et Anna avait obtenu le bureau tant convoité au quatrième étage. Mais ce combat, l'acharnement grâce auquel elle avait gravi tous les échelons pour atteindre son poste actuel, en avaient-ils valu la peine ?

La porte s'était ouverte sur John, son greffier :

— Juge Provo ? Vous avez cinq minutes de retard, on vous attend.

— Désolée, John. J'ai oublié de surveiller l'heure, expliqua-t-elle en s'arrachant à sa rêverie. Dites-leur que j'arrive.

Quel démon l'avait poussée à ressusciter ainsi les ruines d'un amour qu'il valait mieux laisser enfoui ? « Sous prétexte qu'un homme séduisant te jette des regards enflammés, tu te transformes en romantique attardée ! », s'admonesta-t-elle.

Elle retourna rapidement au prétoire, reprit sa place et chaussa ses lunettes. Elle s'en passait facilement, ou aurait pu porter des lentilles de contact. Mais cet accessoire ajoutait, selon elle, à son apparence très professionnelle.

En quelques phrases elle résuma la décision de la cour.

— Monsieur Brandon, votre client comprend-il et accepte-il les termes de la sentence ?

Joshua ouvrit les boutons de sa veste et desserra sa cravate, avant de répondre avec une incroyable désinvolture :

— Oui, votre honneur.

Anna se mordit la langue pour ne pas le réprimander; ce cadre n'était pas un salon, où l'on bavardait négligemment en tenue décontractée ! Mais son attitude détendue semblait en fait représenter la véritable nature de Joshua.

Sans doute ne comptait-il pas lui manquer de respect par sa nonchalance.

— Parfait. La séance est levée, prononça-t-elle en abaissant son marteau.

En quittant la salle d'audience, elle fut émue de la douceur avec laquelle Joshua aidait le vieux Sam à se lever. Comment pouvait-il passer ainsi d'un extrême à l'autre, tantôt agressif et emporté, tantôt aimable et attentionné ? Mais lorsqu'elle se retourna une dernière fois sur lui, à la porte, elle le vit détailler sans vergogne sa silhouette, de la tête aux pieds. Elle se sentit littéralement déshabillée par la caresse de son regard.

Profondément troublée, elle sortit en toute hâte. De retour dans son bureau, elle déboutonna sa robe de magistrat avec des doigts tremblants, et la jeta avec humeur sur la table. Elle se laissa tomber sur son fauteuil à bascule, mais malgré le balancement apaisant, une vague d'indignation monta en elle. Quelle invraisemblable effronterie chez cet homme ! Un jour prochain elle le remettrait proprement à sa place, et avec un plaisir indicible.

3

PENCHEE en avant pour résister à la poussée du vent, Anna remonta d'un pas vif la Quatrième Avenue. Elle compara mentalement ses humeurs brusques aux bourrasques qui avaient remplacé la brise douce du matin. En début de journée elle était calme et raisonnable, et ce soir un tumulte d'émotions se déchaînait en elle.

En fait, l'affrontement qui l'avait opposée à Joshua Brandon n'avait fait qu'exacerber un problème latent. Car depuis le jour fatidique où il l'avait irrévérencieusement bousculée, elle n'avait pu le chasser de ses pensées, malgré tous ses efforts. L'émoi qu'il lui avait inspiré en la relevant avec tant de douceur l'avait bouleversée, et la hantait encore.

Le temps était frais et pourtant, elle sentit une insidieuse chaleur envahir ses joues. L'attirance qu'il exerçait sur elle était totalement illogique. Un homme capable de regarder une femme comme il l'avait regardée tout à l'heure ne méritait pas une seconde d'attention. Pourquoi alors continuait-elle de songer à lui ?

Comme un orage menaçait, à présent, obscurcissant l'horizon, elle hâta son allure. *Freddy's Pub* était sur son chemin — pourquoi ne pas s'y réfugier un moment ? La perspective de déguster une chope de bière en grignotant des bretzels faits maison lui parut un moyen idéal de se remettre d'une journée aussi éprouvante.

A l'intérieur du bar régnait une apaisante pénombre.

— Bonsoir, Anna, l'accueillit le propriétaire.

— Bonsoir Freddy. Comment allez-vous ?

— Très bien, et vous-même ?

Mesurant brusquement sa fatigue, elle exhala un long soupir.

— Un mauvais jour ? fit-il, plein de sollicitude. Freddy va vous arranger cela, venez avec moi.

— Merci, Freddy.

Elle le suivit vers le fond de la salle, quand quelqu'un la rejoignit brusquement. L'homme s'empara de son coude avec fermeté.

— Bravo pour votre exactitude, déclara une voix au timbre riche et sonore.

Anna reconnut immédiatement les intonations de Joshua, qui l'entraînait sans une hésitation comme s'ils avaient eu rendez-vous. Elle s'arrêta net et dégagea vivement son bras. Il la considéra d'un air à la fois patient et peiné, comme s'il avait affaire à une enfant capricieuse.

— Vous faites erreur, monsieur Brandon. Je ne suis pas venue ici pour vous rencontrer.

— Non ? s'exclama-t-il, avec une feinte stupéfaction. Je vais devoir réprimander ma secrétaire. Elle m'a assuré que vous aviez téléphoné pour que je vous retrouve chez Freddy.

Anna détecta une note amusée dans son ton, et s'aperçut que Freddy attendait pour se porter éventuellement à son secours. Elle hésita une seconde de trop, et Joshua en profita pour reprendre :

— Enfin, puisque nous sommes ensemble, pourquoi

ne pas en profiter ? Laissez-moi vous offrir l'apéritif que
je vous avais promis.

Il reprit son coude et Freddy, rassuré, s'éclipsa.
Encore une fois Anna nota l'élégance de son compagnon. Il était aussi beau et bien habillé qu'un manne-
quin ! Mais moins docile, songea-t-elle avec ironie.

Comme ils croisaient un autre couple dans l'étroit
passage, il se pressa contre elle, et elle prit conscience de
sa stature d'athlète. Très grande elle-même, Anna
n'était pas accoutumée à cette impression d'être petite et
fragile.

— Comment m'avez-vous trouvée ? questionna-t-elle
en s'écartant dès que possible.

— Par le plus grand des hasards, affirma-t-il d'un air
innocent. Je viens souvent ici, et...

— Explication refusée. J'ai mes habitudes dans ce
pub, et je ne vous y ai jamais vu.

— Et si j'avoue vous avoir suivie ?

— Je me verrai contrainte d'exiger une justification.

— Eh bien, juge Provo, j'ai résolu de renoncer à ma
timidité, et d'essayer la témérité. Ce fut une excellente
initiative, du reste. Nous voilà enfin à bavarder tranquillement comme de vieux amis !

De vieux amis ? Anna avait ses doutes. Elle se laissa
néanmoins guider jusqu'à une table, tout en se demandant pourquoi cet homme l'affectait comme personne
avant lui n'avait pu le faire. Elle collaborait pourtant
souvent avec des collègues masculins, mais avec Joshua,
elle avait le pressentiment qu'il se passait autre chose. Et
cette idée l'effrayait, profondément.

Pour se rassurer, elle se jura de boire un seul verre puis
de prendre congé. Durant leur entretien, elle afficherait
un parfait détachement, et l'audacieux M. Brandon
serait découragé une fois pour toutes.

— Juste un apéritif rapide pour sceller notre trêve. N'est-ce pas, *maître* ?

Cette précision était destinée autant à la serveuse venue prendre la commande, qu'à Joshua et surtout, à elle-même.

— C'est cela, votre honneur. Je prendrai un demi pression, et madame...

— La même chose, compléta-t-elle.

La situation ne convenait guère à Joshua, bien qu'il l'ait lui-même provoquée. Cette jeune femme allait le rendre fou ! Il se sentait emprunté comme un adolescent plein de complexes invitant une fille ravissante. Elle se comportait de façon aussi impérieuse en ville qu'au tribunal ! Le désir de la décontenancer devenait pour lui une véritable obsession.

— Eh bien, monsieur Brandon, reprit-elle d'un air dégagé. Pensez-vous que Sam Barnett s'acquittera bien de son nouveau rôle à l'hôpital pour enfants ?

— Je vous en prie, appelez-moi Joshua. Sinon je suis toujours tenté de chercher mon père derrière moi.

— Comme vous voudrez, Joshua.

— A mon avis, l'administration judiciaire n'aurait pu faire de plus beau cadeau à ce vieil homme, répondit-il en toute sincérité. J'entends par là vous rendre hommage personnellement, euh...

Anna s'étonna de son hésitation.

— Qu'y a-t-il ?

— Je ne sais comment m'adresser à vous : votre honneur, juge Provo, madame le juge, tout cela me paraît un peu guindé. Miss Tempête vous sied mieux, mais j'ai la nette impression que vous n'appréciez pas.

— Que diriez-vous d'Anna ? Cela résoudrait le problème, et en ce qui concerne ce surnom, vous avez entièrement raison. Je ne l'affectionne pas particulièrement.

Joshua eut un rire éclatant qui résonna dans le bar.

— Quel événement ! s'écria-t-il. Nous nous sommes enfin entendus sur quelque chose sans nous quereller. Il faut fêter cela !

Elle ne put s'empêcher de sourire, et leva son verre en même temps que lui. Quand ils eurent bu, il prit sa main et murmura :

— J'aimerais proposer un autre toast : à la femme charmante que j'espère apprendre à mieux connaître.

Un brusque émoi s'empara d'elle.

— Vous n'ignorez pas, Anna, que vous êtes absolument ravissante ! De quelle origine êtes-vous, pour posséder une chevelure aussi flamboyante ?

Il lâcha ses doigts et entortilla une mèche rousse autour de son index.

— Merci, bredouilla-t-elle, troublée. Mes parents sont des immigrés russes. Ils sont arrivés aux Etats-Unis juste après la seconde guerre mondiale.

Au mépris de toute prudence, elle n'avait plus qu'une envie : qu'il l'embrasse, et tout de suite. Elle dut faire appel à toute sa volonté pour se redresser et remettre quelque distance entre eux.

— Assez parlé de moi, décréta-t-elle d'une voix égale.

— Nous commencions à peine ! protesta-t-il. Dites-moi ce qui vous a poussée à choisir ce métier, comment vous avez pu devenir juge si jeune, combien vous avez de frères et sœurs, où habite votre famille, quel genre de musique vous aimez, si vous parlez des langues étrangères, si vous vous intéressez à...

— Pitié ! l'interrompit-elle. Je ferais mieux de rentrer chez moi sans perdre une minute, pour rédiger mes mémoires. Mais je devrai les pimenter quelque peu, ou elles seront mortellement ennuyeuses.

— Je veux tout savoir de vous, insista Joshua.

— J'en suis flattée. Je tâcherai de répondre à vos questions, si je puis ensuite vous interroger à mon tour.

— Marché conclu, convint-il. Buvons à notre accord.

Il leva sa chope, et Anna l'imita.

— Ce devra être notre dernier pacte, observa-t-elle. Faute de quoi nous sombrerons dans l'ébriété et oublierons notre trêve.

— Tout à fait de votre avis, renchérit-il en buvant à nouveau.

— Vous êtes incorrigible, réprouva-t-elle en prenant elle aussi une gorgée.

— Vous avez raison, rit-il. C'est pourquoi je comprends si bien mes clients. Et vous-même, comment avez-vous décidé de vous mêler de criminalité ?

— Je n'ai pas vraiment choisi le droit, expliqua-t-elle. Simplement, je me suis toujours imaginée faisant partie du système judiciaire. Voyez-vous, mes parents aiment profondément ce pays qu'ils ont choisi. Ils ont installé en moi un profond respect de la liberté dont jouit le peuple américain.

Elle scruta le regard attentif de Joshua.

— Un peu naïf, non ? murmura-t-elle.

Sa sentimentalité, son patriotisme démodé, la gênaient.

— Naïf, certes, admit-il en souriant. Et très beau.

— Peut-être...

Elle se demandait toujours si elle n'avait pas choisi cette profession très masculine aussi comme une sorte de compensation. Pour Niki. Nikolaï Alexandrovitch Provoloski... son frère handicapé mental.

— Peut-être, répéta-t-elle. Quoi qu'il en soit, je ne suis pas un juge particulièrement jeune. J'ai trente ans, comme la plupart de mes collègues au niveau municipal.

— Trente ans ?

Il fut surpris. Il lui en donnait vingt-sept, vingt-huit à la rigueur. Anna perçut sa réaction et s'irrita; sans doute la prenait-il pour une vieille fille.

— Et alors ? lança-t-elle, agressive.

— Rien, assura-t-il, levant les mains en geste apaisant. Je pensais simplement que vous avez l'âge idéal. J'ai toujours eu une théorie selon laquelle avant la trentaine, une femme reste une enfant capricieuse. Puis une transformation soudaine s'opère, et elle s'épanouit comme une fleur.

— Vraiment ?

— Vraiment, affirma-t-il.

— Seriez-vous un philosophe, monsieur Brandon ? Et dans ce cas pourquoi avez-vous choisi le droit ?

— Malheureusement, j'ai quelques goûts de luxe, et l'idée de rédiger mes pensées dans quelque mansarde glaciale ne me sourit guère.

Joshua se révéla à elle avec plus de franchise qu'il ne l'aurait souhaité, si tôt dans leur relation. Il avoua avoir été toute sa vie tenaillé de remords dus à la fortune dont il avait hérité. Il ne se reprochait pas d'en user mal, mais ne pouvait oublier que beaucoup d'autres avaient moins de chance que lui.

Dix années durant il avait payé son tribut à sa famille, en travaillant dans la société multinationale de son grand-père, à San Diego. Parti d'un minuscule bureau dans le service juridique, il avait grimpé de promotion en promotion jusqu'à atteindre un poste important proche de la direction. Son aïeul appréciait son expertise, qui avait économisé des sommes considérables à la firme. En remerciement, il le rendait titulaire d'actions, et progressivement, Joshua avait ainsi acquis une part considérable de la CAN-AMER-MEX.

Puis Maurice, son frère cadet, s'était joint à son tour à l'immense corporation, dès la fin de ses études. Le droit commercial le passionnait. Son enthousiasme avait libéré Joshua, qui avait un beau jour annoncé à son grand-père son intention de retourner à Seattle pour devenir un avocat à la défense publique. Le vieil homme avait rugi et tempêté à propos d'un tel « altruisme », mais avait fini par reconnaître que son petit-fils serait plus heureux dans la voie qu'il choisissait.

— Tu as été compétent, et même excellent dans ton travail. Mais tu n'y as pas trouvé de joie, admit-il.

Il prononçait les mots « joie » et « altruisme » avec un dédain tel, que Joshua le soupçonnait d'en ignorer le sens. Il se tut, l'air soucieux. Brusquement il se sentait réticent à parler encore de lui-même. Pour changer de sujet, il lança :

— Je possède un voilier, vous savez. Voulez-vous être ma coéquipière ? Demain soir, par exemple ?

— Désolée, mais le mardi je donne un cours.

Anna se réjouit d'avoir ce prétexte réel à invoquer.

Joshua Brandon lui faisait l'effet d'un véritable cyclone, dont la force balaierait sa vie si elle s'aventurait dans une relation plus intime avec lui.

— Ah oui, vous enseignez ? Où cela ? s'enquit-il.

Elle se mordilla la lèvre, ennuyée de s'être déjà tant révélée.

— Allons, Anna, ne vous dérobez pas, taquina-t-il. Sinon je vais imaginer que vous apprenez la danse du ventre aux ménagères de votre quartier.

— Bien sûr, monsieur Brandon ! explosa-t-elle. J'ai étudié le droit à seule fin de me contorsionner légalement !

Elle s'attendait à le voir se recroqueviller sur sa chaise,

contrit. Au contraire il s'appuya au dossier d'un air amusé, et croisa les mains derrière sa nuque.

— S'il vous reste un art à cultiver, Miss Tempête, c'est celui de l'humour.

— Je vous ai déjà dit que ce surnom m'était odieux.

— Préférez-vous « Lance-flammes » ?

L'effronterie de cet homme était inouïe ! Anna saisit son sac et se leva pour partir. Joshua la rattrapa après quelques mètres et s'empara de son bras.

— Hé ! Ne prenez pas la mouche aussi facilement. Les plaisanteries sincères jaillissent du cœur, elles n'ont rien d'humiliant, plaida-t-il avec un sourire irrésistible.

Anna l'étudia quelques secondes puis, vaincue, éclata de rire. Joshua la débarrassa de ses affaires, qu'il déposa sur le bar, à côté de la caisse de Freddy. L'orchestre venait de s'installer et jouait une mélodie sensuelle et langoureuse, qui invitait à la danse.

— Venez, murmura-t-il.

Il l'entraîna sur la piste, sentant sous ses doigts sa taille souple et fine. Il eut envie d'envelopper tout son corps de ses bras pour se pénétrer de sa chaleur, de sa vitalité. Avec douceur il l'enlaça, étroitement d'abord mais quand leurs cuisses se frôlèrent il la relâcha quelque peu; surtout, il ne voulait pas l'effrayer. Elle était aussi farouche qu'un chaton. Un geste brusque, et elle s'enfuirait, non sans avoir distribué au préalable quelques bons coups de griffe. Comme un chaton, cependant, on devait pouvoir l'apprivoiser, l'encourager à jouer. S'il la courtisait avec d'infinies précautions, elle finirait peut-être par se blottir contre lui.

Il inclina sa tête vers elle et huma la discrète fragrance de ses cheveux. Contrairement à tant de femmes qui s'inondent de parfum, elle n'exhalait qu'une fraîche senteur de savon. Véritablement, elle incarnait pour lui la beauté et la santé naturelles.

Anna, quant à elle, avait l'impression de flotter à quelques centimètes au-desssus du sol. Joshua la guidait de façon imperceptible, pareil à une brise d'été dans les branches d'un saule. Leurs mouvements à tous deux coulaient de source, avec tant d'aisance que toute son appréhension s'était rapidement dissipée. C'était comme s'il l'avait envoûtée, tant ce moment ressemblait à un rêve immatériel. Un rêve qu'elle souhaitait prolonger indéfiniment.

Elle posa sa joue contre la poitrine de Joshua, et se laissa bercer par sa profonde respiration. Libérée de toute méfiance, elle se mit à caresser langoureusement la nuque de son compagnon.

Brusquement elle s'arracha à son étreinte. Que lui arrivait-il donc ? Perdait-elle la tête ?

La musique continuait, et plusieurs autres couples évoluaient à présent autour d'eux. Mais des éclairs de flash déchiraient la pénombre, et des spectateurs s'étaient massés autour de la piste.

— Ne vous arrêtez pas, Miss, lança une voix parmi eux.

— C'est Anna Provo, remarqua quelqu'un d'autre. Tu sais bien, la célèbre juge ? Une des sélectionnées au titre de Femme de l'Année. Nous avions invité toutes les candidates à une émission.

— Formidable, un vrai *scoop*, acquiesça le premier. Dansez encore, votre honneur.

Tous les clients du bar, y compris les danseurs, s'étaient immobilisés et les dévisageaient, elle et Joshua. Anna se redressa de son air le plus digne, et fit volte-face pour s'éloigner. Elle regagna le bar, où Freddy avait mis en sûreté sa veste et son sac.

— Que se passe-t-il, Freddy ? interrogea Joshua qui la suivait de près.

— Les musiciens viennent d'enregistrer un disque qui fait un malheur dans tout le pays, expliqua le propriétaire. L'équipe de télévision de « Bonjour Seattle » est venue les interviewer pour leur programme de demain matin.

L'idée d'être vue par des milliers de téléspectateurs dans les bras de Joshua fit à Anna l'effet d'un coup de massue.

— Freddy, il ne faut pas qu'ils diffusent d'images de moi, conjura-t-elle.

— Je m'en occupe, assura Joshua en étreignant son épaule.

Il se faufila dans la bousculade générale, Anna sur ses talons, et rejoignit le présentateur. Celui-ci était un petit homme fluet d'apparence très soignée, vêtu d'un costume sur mesure des plus élégants.

— Bonsoir, monsieur, déclara Joshua avec autorité. Le juge Provo vous demande de couper la séquence dans laquelle elle apparaît.

— Je m'appelle Link Foster, répondit l'autre en lui tendant la main. Que disiez-vous, à propos du juge ?

— Elle souhaite que vous coupiez le morceau de bande sur laquelle elle a été filmée.

— Allons, raisonnez-la un peu, pria-t-il. Les prises de vues sont excellentes.

Il jeta à Anna un regard de convoitise à peine voilée, avant d'adresser un clin d'œil complice à Joshua. Ce dernier crispa les poings.

— Assez plaisanté, ordonna-t-il. Vous allez respecter le désir du juge.

Link Foster avança la mâchoire d'un air agressif, dérisoire face à Joshua qui le dominait d'une bonne tête.

Souple et puissant comme un félin, l'avocat en revanche paraissait véritablement redoutable, songea Anna.

— Et d'abord qui êtes-vous ? défia Foster. Son secrétaire ?

— Ecoutez, espèce de minable petit publicitaire, menaça Joshua. Vous savez ce que j'attends de vous, je ne me répèterai pas.

Link Foster pâlit sous la façade assurée qu'il tentait de conserver.

— Je vous propose que nous résolvions ce différend en hommes civilisés, concéda-t-il.

— Absolument. Le juge Provo ne fait donc pas partie de votre opération de promotion. Est-ce clair ?

— Parfait, parfait. Eh bien, ne perdons plus de temps, je vais me remettre au travail.

Il se détourna avec un soulagement manifeste, dans le silence total qui régnait à l'intérieur du pub. L'orchestre s'était tu, et les consommateurs intrigués observaient Anna et Joshua. Ils fendirent la foule des curieux en direction de la sortie. Une fois dehors, la jeune femme hocha la tête avec reconnaissance lorsque Joshua ouvrit la portière droite de sa Jaguar. Elle s'installa sans un mot sur le siège.

— Vais-je devoir fouiller votre sac en quête d'une pièce d'identité ? taquina-t-il.

— Hmm ?

— C'est déjà un son humain, mais cela ne me dit pas où vous conduire.

— Oh, pardon, Joshua, comprit-elle enfin. J'habite au 1628, Harvard Street.

— Voilà qui est mieux, approuva-t-il.

Il démarra et s'intégra au flot de voitures. Anna se détendit. Peut-être avait-elle exagéré l'importance de l'incident, après tout. Quel mal y avait-il à être vue en train de danser avec Joshua ? Hormis le fait qu'à son avis, leur étreinte était trop intime pour être livrée en pâture au grand public...

— Je suis probablement vieux jeu, commenta-t-elle. Mais je déteste être prise au dépourvu.

— Craigniez-vous que je ternisse votre réputation, et vous empêche d'être élue Femme de l'Année ? plaisanta-t-il.

— Aucun risque. J'ai perdu le mois dernier.

— Ce fut un grand honneur, votre honneur.

— D'être sélectionnée, ou de perdre ?

— Vous avez la répartie foudroyante ! Je ne m'étonne plus que vous ayez pu devenir juge à un âge aussi tendre. Vous avez obtenu votre licence en droit à seize ans ?

— Vingt, rectifia-t-elle en souriant.

— Non seulement belle, mais précoce. Quel don du ciel !

— A vous entendre, on croirait que tout m'a été offert sur un plateau ! s'indigna-t-elle. Mais j'ai rencontré pas mal de difficultés, vous savez. J'ai travaillé cinq ans au bureau du procureur général.

Chaque fois qu'elle entendait une remarque de ce genre, elle se sentait coupable de la facilité avec laquelle elle avait accompli ses études. Et la culpabilité, elle n'en avait que trop éprouvé, par rapport à Niki.

— Je vous ai encore froissée, cela devient une fâcheuse habitude, s'excusa-t-il. Mon intention était seulement de vous faire un compliment.

Décidément, elle s'offensait d'un rien, se reprochat-elle. Quelques leçons de patience lui seraient peut-être bénéfiques !

— Pardon de vous avoir attaqué, murmura-t-elle. Surtout après la façon dont vous m'avez défendue auprès de ce M. Foster.

— Tout le plaisir fut pour moi.

— Ah ! Il m'avait bien semblé déceler une lueur de joie mauvaise dans vos yeux, face à lui. Je me demandais même si vous n'étiez pas une brute qui s'ignore.

— Moi ? Je ne connais même pas le sens du mot « agressif » !

Elle pouffa de rire et en fut elle-même surprise. L'humour de Joshua réveillait en elle la petite fille depuis longtemps oubliée. Il ébouriffa ses cheveux et son chignon se défit.

— Vous vous détendez, Miss Tempête, remarqua-t-il joyeusement.

— Qu'est-il arrivé à Carabosse ? risposta-t-elle. Au fait, pourquoi m'avoir surnommée ainsi sans même m'avoir vue ?

— J'espérais que vous auriez oublié, marmonna-t-il. C'était ma première affaire à défendre, et mes collègues m'ont joué un mauvais tour. Ils m'ont décrit la juge comme une créature cruelle et redoutable qui ne faisait qu'une bouchée des jeunes avocats.

— Ils ne se sont pas trompés de beaucoup, n'est-ce pas ? s'esclaffa-t-elle.

— D'à peine un monde !

Au moment où il se garait, la pluie se mit à tomber. Et au lieu des bruines douces qui caractérisent le climat de Seattle, ce fut un véritable déluge qui s'abattit.

Les jeunes gens coururent ensemble jusqu'au perron d'Anna, abrité par une marquise. Elle occupait la moitié d'une demeure victorienne aménagée en deux logements séparés. Trempée et encore secouée par le fou rire, elle sortit ses clés de son sac et ouvrit la porte. Elle allait saluer Joshua, mais lut dans son regard une sorte d'attente.

— Voulez-vous une tasse de café ? suggéra-t-elle.

Sans répondre il prit son visage entre ses mains et très
doucement, essuya du plat du pouce les perles d'eau qui
ruisselaient sur ses joues. En proie à un soudain émoi,
Anna se rapprocha de lui, les lèvres offertes. Il l'enlaça
étroitement et l'embrassa avec ferveur dans le cou, derrière l'oreille, sur la pommette avant de s'emparer enfin
de sa bouche frémissante. Elle lui rendit son baiser avec
une égale ardeur, consumée d'un désir irrépressible.

— Ah, Anna ! Je te veux, souffla-t-il avec passion.

Anna le contempla avec émerveillement puis, incapable de prononcer une parole, recula simplement et
s'effaça pour le laisser entrer.

Un éclair déchira le ciel, suivi presque aussitôt d'un
formidable roulement de tonnerre. Anna se crispa :
Niki ! Il devait se cacher quelque part, comme toujours
terrifié par l'orage.

Cette pensée ramena l'image de Sean à sa mémoire.
N'avait-elle pas appris à se méfier de toute relation
intense ? D'autres hommes avaient bien traversé son
existence, depuis Sean, mais elle n'avait eu avec eux que
des contacts éphémères et assez superficiels. Elle avait sa
carrière, ses responsabilités. Eux, leurs professions,
leurs univers.

Tandis que Joshua, elle en était sûre, refuserait de
s'engager à moitié. Il la voudrait sans réserve. Ou bien se
leurrait-elle ? En tout état de cause, elle se sentait
gagnée par une panique sans nom.

— Je suis désolée, murmura-t-elle d'une voix étranglée. Je croyais vous désirer, mais c'était une erreur.

Elle essaya de refermer la porte sur lui, mais il bloqua
le battant.

— Une erreur ? s'insurgea-t-il. Je n'ai jamais rien
vécu de plus fort !

— Pour moi c'est différent, cria-t-elle en poussant de toutes ses forces.

Elle réussit à tourner le verrou, pendant que Joshua tambourinait furieusement sur le bois.

— Discutons-en ! rugit-il.

— Pas question. Allez-vous en, ordonna-t-elle.

Les coups cessèrent, et il lui sembla entendre démarrer puis partir le puissant véhicule.

Elle s'adossa au mur, désespérée. Comment avait-elle pu oublier toutes ses sages résolutions à cause d'un homme. C'était incompréhensible...

— Anna ! Anna ! hurla-t-on soudain de dehors.

Malgré le tonnerre elle entendit sonner frénétiquement. Joshua ! Il était revenu, bouleversé comme elle. Et brusquement elle avait besoin, elle aussi, de lui parler. D'expliquer son revirement subit. De lui confier ses soucis, les soucis que lui causait Niki.

Maladroite dans sa précipitation, elle ouvrit enfin.

Mais au lieu de Joshua, elle découvrit son frère — ruisselant, effaré, et l'air perdu, comme toujours. Elle le fixa avec des yeux ronds comme si elle ne le reconnaissait pas.

— J'ai perdu ma clé, confessa-t-il.

— Entre, Nikolaï, murmura-t-elle. Vite, tu vas prendre froid.

Il pénétra dans le vestibule, que sa haute stature faisait paraître petit. C'était un jeune géant, doté d'un visage admirablement beau avec son teint mat et ses traits harmonieux, et couronné d'épais cheveux noirs collés par la pluie. Comme les idées reçues pouvaient être fausses ! songea Anna. Tant de gens affirment que les problèmes psychologiques sont révélés par des défauts physiques. Mais Niki, malgré son handicap, était la perfection même.

Elle alla prendre une serviette dans un placard.

— Assieds-toi, je vais te sécher la tête.

— C'est seulement de la pluie, Anna, affirma-t-il en s'exécutant docilement. Mes joues sont mouillées, mais je n'ai pas pleuré, je n'ai pas eu peur.

— Bien sûr que non, acquiesça-t-elle en frictionnant sa chevelure. Il pleut des cordes, c'est tout.

Niki saisit ses poignets et l'immobilisa.

— Pourquoi dit-on cela ? interrogea-t-il. Je regarde chaque fois, mais je n'ai jamais vu de cordes tomber du ciel.

Elle l'embrassa sur le front et eut un rire attendri.

— C'est seulement une expression, expliqua-t-elle. Cela signifie qu'il pleut fort.

— Eh bien c'est une expression idiote, maugréa-t-il.

Anna lui tendit le linge humide.

— Tiens, va te doucher et mets-toi en pyjama. Je vais prévenir *mama* et *papa* que tu passes la nuit ici.

Il commença à s'éloigner mais s'arrêta.

— Ah, je t'ai apporté un cadeau, précisa-t-il en se retournant.

De sa poche il tira un petit œuf en plastique, du type vendu dans les distributeurs de gare. Il le lança à Anna qui l'attrapa adroitement et l'ouvrit. A l'intérieur se trouvait une bague en plastique doré, ornée d'un caillou vert mal collé. A trente-deux ans, Niki adorait glisser des pièces de monnaie dans ces machines, dans l'espoir d'en retirer quelque trésor...

Anna déposa l'objet sur la cheminée et composa le numéro de téléphone de ses parents.

— Bonjour, *mama*, déclara-t-elle. Ne t'inquiète pas pour Niki, il est ici.

— Ce garçon ! s'exclama sa mère avec une feinte réprobation. Il va me donner des cheveux blancs.

— Ils le sont déjà, *mama* ! rit Anna.

— C'est juste. Et à cause de lui.

Mme Provoloski plaisantait, bien sûr, mais Anna savait qu'elle se tourmentait réellement sans cesse pour son frère. La jeune femme s'était efforcée de la soulager de ce trop lourd fardeau, aussi Niki dormait-il de plus en plus souvent chez elle. Petit à petit, il emménageait ses affaires dans la chambre d'amis, et occupait une place prépondérante dans la vie de sa sœur.

— Embrasse-le pour nous, recommanda Mme Provoloski. Borde-le bien, et rappelle-lui d'arriver à l'heure à son travail.

— Compte sur moi, promit Anna.

— Anna ?

— Oui, *mama* ?

— Nous t'aimons, papa et moi.

Elle raccrocha sans laisser à sa fille le temps de répondre.

Anna trouva Niki endormi, blotti sous les couvertures. Elle sourit et ramassa ses vêtements épars, avant d'éteindre la lumière.

Dans son propre lit, elle ne put trouver le sommeil. Après avoir renvoyé Joshua, elle s'était brusquement sentie prête à lui parler de Niki. Mais il n'était pas revenu. Et à quoi bon le relancer, maintenant ? Comment pourrait-elle lui faire comprendre la complexité de sa situation ?

4

Toute la nuit durant, l'orage se déchaîna avec force, mais le tumulte intérieur qui agitait Anna était plus véhément encore. Les souvenirs assaillirent sa mémoire sans relâche, et chaque fois qu'elle s'endormait brièvement, sa rupture avec Sean revenait hanter ses rêves.

Après la scène du palais de justice, en effet, il avait insisté sur la nécessité de fonder une famille. Finalement Anna avait renoncé à dissimuler son secret :

— Ecoute-moi, Sean, avait-elle exigé. Ecoute-moi bien.

Elle lui avait exposé les innombrables problèmes que pose l'éducation d'un enfant arriéré mental.

— J'ai trop peur, avait-elle conclu. Un seul Niki suffit. Qui sait si son handicap est d'origine génétique ?

Pendant tout ce discours elle avait fixé le sol, et releva enfin les yeux pour observer la réaction de Sean. Son instinct ne l'avait pas trompée : sur les traits de son fiancé se peignait un dégoût sans nom.

— Je n'y avais jamais songé, avait-il admis.

La présence de Niki l'avait toujours mis mal à l'aise, et Anna s'était évertuée à éviter leurs rencontres.

Pour la première fois il comprenait que non seulement

le jeune homme allait faire partie de sa famille, mais, pis, qu'il pourrait lui-même avoir un héritier anormal !

— Je n'y avais jamais pensé, avait-il répété, comme hébété.

— Moi, si, avait-elle rétorqué.

Ainsi qu'elle l'avait prédit et redouté, Sean avait progressivement pris ses distances. Tout en s'efforçant de prétendre que rien n'avait changé, il avait espacé ses visites et ses coups de fil, et les prétextes qu'il invoquait étaient devenus de plus en plus transparents. Quelques mois plus tard il acceptait un poste à Boston, et n'avait plus donné signe de vie à Anna.

Niki tourna à fond le son du téléviseur pour regarder les dessins animés du matin, arrachant Anna à sa rêverie. Epuisée, elle ne se leva pas tout de suite. Aujourd'hui elle ne se rendrait pas au palais en courant. Elle aurait bien assez de peine à effectuer simplement son travail, après une nuit pareille.

Quelques semaines plus tôt, sa vie lui paraissait sinon exaltante, du moins parfaitement satisfaisante. Mais l'irruption de Joshua Brandon avait bouleversé toutes les données. Il était extrêmement séduisant, plein d'humour, et pourtant, il n'était pas question de céder à l'attirance qu'elle ressentait pour lui. Elle avait trop bien appris la leçon du passé.

Encore une fois elle ressassa leur fiévreuse étreinte de la veille, couronnée par le cri de Joshua : « je te veux ! ». Elle se redressa brusquement : il avait parlé de désir, pas d'amour, ni même d'affection ou d'un quelconque sentiment. Quelle sotte elle avait été, d'accorder tant d'importance à un simple besoin physique !

Elle bondit de son lit, ulcérée, et s'écria :

— Quelle effronterie ! Vouloir se servir ainsi de moi !

Prise de remords, elle se fit face dans la glace et s'admonesta :

— Ne va pas rejeter toute la faute sur lui. Tu t'es offerte à lui, il allait en profiter. Tu n'as eu que ce que tu méritais, grande bête !

Niki était entré sans qu'elle le remarque, un verre de jus d'orange à la main. Il le déposa avec fureur sur la commode, en protestant :

— Pourquoi, « grande bête » ? Qu'est-ce que j'ai encore fait ?

Indigné, il quitta la pièce à grandes enjambées avant qu'elle ait pu lui expliquer sa méprise. Pauvre Niki. Elle l'avait blessé, bien involontairement. N'était-elle donc capable que de tout abîmer ?

Furieuse contre elle-même, elle passa sous la douche, en chassant résolument de ses pensées Niki, Sean, Joshua, et sa propre maladresse. Aujourd'hui allait être un jour comme un autre. En tout cas, sa tranquillité ne risquait guère d'être perturbée par Joshua; après la scène d'hier soir, il ne s'aviserait sûrement plus de relancer une pareille hystérique.

Pour se racheter auprès de son frère, Anna prépara un copieux petit déjeuner. Attendrie, elle le regarda mélanger une énorme cuillerée de confiture dans son verre de thé. Il le dégustait à la russe, et riait d'Anna qui buvait le sien nature et dans une tasse en porcelaine.

— Anna... l'apostropha-t-il en lui adressant un regard d'adoration. Pourquoi n'as-tu jamais peur, toi ?

— Cela m'arrive, fit-elle.

— Pas autant qu'à moi, et pourtant tu n'es qu'une fille. Je ne parle pas des orages et des chiens méchants, ni de tout cela.

— Que veux-tu dire, alors ?

— J'ai peur de ne pas savoir répondre si on me pose

une question, confia-t-il. Ce sont des choses bêtes. Comme de ne pas être sûr que j'ai bien compté ma monnaie pour l'autobus.

Anna hésita, choisit soigneusement ses mots. Elle ne s'adressait jamais à Niki de façon condescendante, mais s'efforçait toujours de lui répondre avec honnêteté et simplicité.

— De mon côté, j'ai d'autres inquiétudes.

— Lesquelles ?

— Celles de bien faire mon travail, par exemple. De donner de bons cours à mes étudiants. Moi aussi, on me questionne, et je ne connais pas toujours les bonnes réponses.

— Pas toi, Anna, rit-il. Tu n'es jamais tout embrouillée.

Elle lui sourit et décoiffa ses cheveux.

— Eh si, grand frère ! Souvent.

Ce matin, par exemple. Totalement désorientée, elle doutait de jamais reprendre le contrôle de sa vie.

A l'heure prévue, elle mit en route Niki vers le marché de Pike Street, où leurs parents tenaient boutique. Peu après, elle partit à son tour, et gagna le tribunal en voiture. Il y régnait un désordre indescriptible. Dans la salle d'audiences voisine de la sienne, le frère d'un accusé avait réussi à introduire une arme et à prendre le greffier en otage. L'affaire fut résolue au bout d'une heure, mais au palais l'effervescence dura toute la journée.

En soirée, Anna se sentait épuisée par tant de tension nerveuse. De plus en plus souvent, la violence faisait irruption dans le système judiciaire. Aucun juge, aucun auxiliaire de justice n'était plus à l'abri de telles vicissitudes.

Elle dut faire appel à ses dernières ressources d'énergie pour ôter sa robe officielle, et rassembler ses affaires afin d'aller exposer les litiges aux jeunes gens qui préparaient leur capacité en droit. Cette première année d'enseignement lui procurait des joies insoupçonnées, le genre de gratification qui peut-être atténuerait sa fatigue.

Elle avait invité Tom Randolph ce soir comme orateur spécial. Il s'était déclaré flatté de présenter ses idées sur les responsabilités du parquet général. Comme elle tenait à s'entretenir avec lui avant le début du cours, elle s'installa prestement au volant de sa vieille Volkswagen, baptisée Elizabeth. Dans les encombrements, le vétuste véhicule toussota de façon préoccupante avant d'émettre quelques volutes de fumée noire. Anna se mordit la lèvre; Elizabeth avait dépassé l'âge de la retraite, mais elle l'avait si bien servie dix années durant qu'elle ne pouvait se résoudre à s'en défaire.

Sur le parc de stationnement de la faculté, elle reconnut la voiture de Tom, dans laquelle le jeune homme l'attendait patiemment. Après s'être garée, elle le rejoignit d'une démarche qu'elle voulait pleine d'entrain.

Sue, la femme de Tom, avait dû le convaincre de s'habiller pour la circonstance d'une manière plus classique que d'ordinaire. Anna le connaissait depuis près de vingt ans, à l'époque du lycée. Il était resté depuis le plus précieux des amis, et elle se réjouissait qu'il ait épousé Sue. Leur vie conjugale n'était pas toujours de tout repos, mais leur était source d'un bonheur qui suscitait parfois l'envie d'Anna.

Tom l'embrassa affectueusement, et s'enquit :

— Comment vas-tu ? j'ai entendu le récit de l'incident. Ne préfères-tu pas annuler la conférence ?

— Je suis bien remise, assura-t-elle. Et tu ne seras sans doute pas libre de sitôt pour t'adresser à mes étudiants !

— Dans ce cas.., Mon apparence fait-elle honneur à la profession ? demanda-t-il en se pavanant devant elle.

— Tu es superbe. Sue a vraiment bon goût.

— Merci pour moi ! Qu'est-ce qui te fait croire que je n'ai pas choisi mes vêtements tout seul ?

— Tu n'es pas assez coquet pour cela.

Il s'esclaffa et hocha la tête d'un air comique.

— Eh bien, beau garçon, il nous reste vingt minutes de liberté. Si nous allions bavarder devant une tasse de café ? proposa-t-elle.

— Excellente idée. Je te suis.

Il lui conta les derniers exploits de ses enfants âgés de un et deux ans, mais Anna était distraite. Elle songeait au dimanche précédent, quand les Randolph avaient invité la famille Provoloski pour un barbecue. Niki s'était amusé sans fin avec les bambins, construisant inlassablement des tours de cubes qu'ils détruisaient allègrement. Pour fêter l'occasion, il avait depuis dessiné une scène de Tom et Sue jouant avec les petits. Artiste elle-même, Sue l'avait toujours encouragé à cultiver ses dons, et avait accroché dans son atelier plusieurs de ses œuvres.

Anna prit le dessin dans sa serviette.

— Niki a fait ceci pour Sue et toi. Je lui ai promis de te l'apporter aujourd'hui.

Ravi, Tom étudia le croquis.

— Remercie-le de notre part. Sue et moi aimons beaucoup ton frère, tu sais.

Elle remarqua brusquement l'heure, et s'exclama :

— Il faut y aller, Tom. Cela fait mauvais effet quand les professeurs sont en retard !

Une fois dans la salle, Anne procéda à l'appel des jeunes gens, puis leur fit une brève mais élogieuse biographie de l'orateur invité avant de céder la parole à celui-ci.

— Mon but sera ce soir de vous exposer le système judiciaire... commença Tom.

Anna n'entendit pas la suite, distraite par l'arrivée d'un retardataire. Elle se retourna vers la porte et, ébahie, vit Joshua prendre place au fond de la classe. Que faisait-il donc ici ? La faculté interdisait formellement la présence de visiteurs non autorisés aux cours. Pendant la pause, elle lui rappellerait le règlement.

Joshua, un masque indéchiffrable sur ses traits, sortit un bloc et se mit à prendre des notes. Anna continua de le fixer, mais s'aperçut bientôt que d'autres étudiants la scrutait elle-même avec curiosité. Elle se concentra alors ostensiblement sur le discours de son ami.

— Pour terminer, j'aimerais vous remercier de votre attention, conclut enfin ce dernier.

Le public applaudit, et Anna se leva pour remercier Tom. Puis elle annonça :

— Arrêtons-nous pendant un quart d'heure. Monsieur Brandon, veuillez passer me voir au sujet de votre inscription.

— Certainement, Miss Provo, acquiesça-t-il en se mettant debout.

Pendant qu'il se frayait un passage parmi ses condisciples, elle remarqua malgré elle la chemise bleue bien coupée qui mettait en valeur sa belle carrure et son teint hâlé.

— Eh bien, bonsoir Anna, déclara Tom. Et bravo pour la qualité de ce groupe.

— Ne pars pas, fit-elle en le retenant par le bras. Nous irons boire un café ensemble.

Elle ne voulait surtout pas s'entretenir seule avec Joshua, qui les avait rejoints.

— Vous souhaitiez me parler, Miss Provo ?

— En effet, monsieur Brandon. Pouvez-vous m'expliquer votre présence ici ? Vous n'ignorez pas que de telles visites sont strictement interdites.

— Mais je ne suis pas en visite, objecta-t-il d'un air innocent. Je me suis dûment inscrit auprès de l'administration en tant qu'auditeur libre. Avez-vous d'autres questions ?

Anna était rarement désemparée au point de rester bouche bée, mais cet homme avait le don de la décontenancer. Machinalement, elle fit non de la tête.

— Dans ce cas, puis-je vous offrir quelque chose à la cafétéria ? poursuivit-il.

— Désolée, mais je m'étais déjà engagée auprès de Tom, prétexta-t-elle maladroitement. Une autre fois, peut-être.

— Aucun problème, intervint Tom. Allons-y tous les trois. J'ai dû trop parler, je meurs de soif !

Joshua ne sembla pas enchanté de cette proposition, mais ne déclina pas l'invitation. Anna, cependant, les aurait volontiers plantés là tous les deux, pour se désaltérer toute seule. Pour comble d'infortune, ils ne purent trouver que trois places alignées à une table. La jeune femme se plaça à contrecœur entre les deux avocats.

Tom rompit le silence tendu qui pesait sur eux pour demander :

— Au fait, Anna, comment va le greffier qui a été pris en otage ?

— Très bien, assura-t-elle. Il a été un peu secoué, naturellement, mais compte être fidèle au poste demain.

— Quand va-t-on remédier à ces cas dans lesquels la famille ou la petite amie introduisent une arme au tribunal ? questionna Tom avec irritation.

— C'est vrai, il devient indispensable d'améliorer notre protection, renchérit Joshua.

— Je vous en prie, assez parlé de travail, interrompit

Anna qui avait pâli. Souhaitons seulement qu'un tel incident ne se reproduise plus.

— C'est pour le prévenir que nous devons agir, insista Joshua. Tous les auxiliaires de justice devraient unir leurs forces pour exiger plus de sécurité.

— Pourquoi ne pas former un groupe de réflexion sur ce point ? suggéra Tom.

— Excellente idée, acquiesça Anna. Mais la pause va terminer, et il me reste un problème à régler avec monsieur Brandon. Pour quelle raison exactement assistez-vous à mon cours ?

Elle regretta aussitôt de s'être exprimée avec une telle brusquerie. Mais Joshua plongea son regard dans le sien, et affirma tranquillement :

— Pour moi, aucun effort d'éducation n'est jamais perdu. Lorsqu'on ne maîtrise pas bien un sujet, il faut s'efforcer par tous les moyens de mieux le savoir pour l'étudier plus à fond. Ce que nous ne comprenons pas peut nous effrayer, mais à force de l'étudier, la crainte s'estompe.

— Je suis surprise que la complexité des litiges puisse égarer un avocat comme vous, ironisa-t-elle.

— A aucun moment je n'ai précisé si c'étaient des litiges que je venais approfondir ici.

Cette réplique troubla tant Anna qu'elle s'étrangla sur sa gorgée de café. Tom lui asséna quelques tapes entre les omoplates pour faire cesser sa toux.

— Merci, murmura-t-elle en levant la main pour l'arrêter. J'ai avalé de travers, c'est stupide.

Heureusement, Tom s'adressa alors à Joshua, laissant à la jeune femme le temps de se ressaisir :

— Avez-vous obtenu une place pour votre voilier ?

— Oui, à la marina de Shilshole. Avec les contraintes de notre métier, la voile m'offre une détente bien nécessaire. Et vous, comment conservez-vous votre équilibre ?

Une sourire de fierté aux lèvres, Tom sortit de son portefeuille les photos de ses enfants. Dans son enthousiasme, il fit tomber de sa poche le dessin de Niki. Joshua se pencha pour le ramasser, et remarqua :

— Vos bambins ne sont-ils pas un peu jeunes pour de telles réalisations ?

— Si, confirma Tom. Cette œuvre me vient d'un ami particulièrement cher, le frère d'Anna pour être exact.

Elle lui décocha un coup de pied sous la table pour l'empêcher d'en révéler davantage. Joshua lui était encore trop inconnu pour qu'elle lui explique l'état de Niki. Et elle frémissait d'avance à l'idée des commentaires bien intentionnés qu'il ne manquerait pas d'émettre.

— Il est temps de reprendre, déclara-t-elle brusquement en se levant.

Tom la ratrappa en courant et la força à s'immobiliser.

— Que se passe-t-il ? s'inquiéta-t-il à voix basse. T'aurais-je fâchée ?

— Non, Tom, pas toi, admit-elle d'un air contrit.

— Lui, alors ? persista-t-il en désignant Joshua, encore assis à leur table. Mais pourquoi lui en vouloir ainsi ? Il est très aimable avec toi, je le crois même plutôt épris.

— Chut ! ordonna-t-elle. Je le connais à peine.

— Allons, pas de coquetterie. Il ne te quitte pas des yeux. Tu as dû t'en apercevoir !

— Ton imagination t'égare, Tom.

— C'est toi qui es trop méfiante, contra-t-il. Pourquoi ne pas accorder une chance à cet homme ?

— Si je m'avisais d'engager une relation avec quelqu'un, ce ne serait certainement pas avec Joshua Brandon !

— Ce n'est tout de même pas à cause de votre rencontre un peu… bousculée sur les marches du palais ?

— Comment as-tu appris cela ? s'exclama-t-elle, horrifiée.

— Joshua me l'a raconté. Il était mortifié, et m'a demandé comment se faire pardonner. Je l'ai assuré que tu ne lui en tiendrais pas rigueur.

— Comment peux-tu en être aussi sûr ? protesta-t-elle.

— Tu es une professionnelle, Anna, une vraie. Jamais tu ne laisserais ta vie privée empiéter sur ton travail.

— Certes…

— Alors cesse d'être agressive. A mon avis, Joshua est quelqu'un de remarquable. Vous pourriez au moins être amis.

— Amis ?

Elle n'avait jamais envisagé ce moyen terme. Pour elle, Joshua ne pouvait être qu'un amant ou un adversaire.

— Amis, oui, répéta Tom. Tu n'en as pas une pléthore telle qu'un de plus ne puisse trouver place dans ta vie, rappela-t-il cruellement.

— Qu'entends-tu par là, au juste ?

— Que tu deviens une recluse. Tu ne fréquentes plus que tes livres de droit.

Malgré l'exagération du tableau, il n'avait pas tout à fait tort. Et sa solution était peut-être la meilleure, raisonna-t-elle, car Joshua et elle ne pouvaient continuer à s'affronter à chaque rencontre.

— Très bien, soupira-t-elle. Je vais me surveiller et traiter amicalement notre M. Brandon.

Tom l'embrassa sur la joue puis, la tenant à bout de bras, murmura :

— Je sais que ta journée a été rude, et pardonne-moi

de t'avoir un peu malmenée. Mais tu sacrifies vraiment trop à ta carrière. Maintenant, je dois rentrer et toi reprendre ton cours.

Il la gratifia d'un second baiser affectueux. Par-dessus son épaule, Anna vit passer Joshua, le visage fermé.

Dans la salle, il écouta une heure et demie durant la conférence détaillée d'Anna sur les dépositions et les interrogatoires. La clarté avec laquelle elle traduisait les aspects techniques des enquêtes, en termes accessibles à des néophytes, l'impressionna.

Jusque-là, il avait été attiré par des femmes très différentes d'elle. Mais ses habitudes sportives, son naturel, son intelligence acérée le changeaient agréablement des élégantes sans personnalité auxquelles il était accoutumé. Anna le fascinait. Avant elle, il ne s'était jamais intéressé longtemps à des compagnes toujours trop dépendantes. De ce défaut, nul n'aurait pu l'accuser ! Au contraire, pour elle, il avait l'impression de ne pas exister.

Anna acheva sa présentation dans le calme. Heureusement, elle possédait à fond son sujet, et la fatigue n'affecta pas la qualité de son enseignement. Elle rassembla lentement ses affaires pendant que la salle se vidait. Mais brusquement, une main se posa sur la sienne et prit la serviette qu'elle s'apprêtait à ramasser.

— Vous êtes épuisée, observa doucement Joshua. Laissez-moi porter cela jusqu'à votre voiture.

Elle leva les yeux et soutint le regard bleu du jeune homme.

— Merci, Joshua, mais ne vous inquiétez pas pour moi. J'y arriverai très bien toute seule.

— Pas question, objecta-t-il en lui offrant le soutien de son bras. Il est tard, le parking sera désert. Je vous accompagne.

— Vraiment, ce n'est pas la peine, s'obstina-t-elle.

Il était dangereux de devoir la moindre gratitude à cet homme. Elle lui était trop vulnérable.

— Ecoutez, Anna, ce quartier n'est pas sûr. Je ne vous laisserai pas vous exposer à de mauvaises rencontres.

— Je ne risque rien de plus grave que vos propres avances, railla-t-elle.

Il se campa aussitôt devant elle pour la forcer à s'arrêter.

— Une minute, Anna. J'ai eu toutes les raisons de croire que vous vous intéressiez à moi. Puis brusquement, vous fuyez. Est-ce un petit jeu auquel vous soumettez vos admirateurs ? J'aimerais connaître les règles pour savoir à quoi m'en tenir.

— Il ne s'agit pas d'un jeu, Joshua. Simplement, je n'ai que faire de vos désirs déplacés.

— *Mes* désirs ? Hier soir les vôtres m'ont paru au moins aussi brûlants...

Elle leva la main pour le gifler mais il saisit son poignet au vol. Puis il replia doucement son bras derrière son dos, lui interdisant tout mouvement. Il se pencha alors pour taquiner ses lèvres tremblantes, avant de lui administrer un fougueux baiser qu'elle lui rendit avec une égale ardeur.

Enfin il s'écarta, chuchotant :

— Essayez encore de me convaincre que vous ne ressentez rien.

— Je ne le prétends pas, concéda-t-elle, troublée. Mais ma vie est déjà trop remplie.

Il la relâcha subitement.

— Avec Tom, par exemple ? jeta-t-il avec mépris. Vous m'aviez l'air bien intimes, dans la cafétéria.

— Si je n'étais pas si fatiguée, vos insinuations m'offenseraient, rétorqua-t-elle. Tom est un vieil ami, un ami cher. Un point c'est tout.

Le conseil de Tom lui revint en mémoire. A quoi bon se quereller toujours avec Joshua ?

— Un autre ne serait pas de trop, du reste, ajouta-t-elle d'un ton radouci. Etes-vous candidat ?

Il l'étudia un long moment avant de répondre :

— Bien sûr, je souhaite obtenir votre amitié. Mais je ne m'en contenterai pas. Pourquoi nier que vous aussi, vous souhaitez plus que cela ?

Il scruta encore ses traits contractés. Après lui avoir décroché un coup de griffe, le chaton faisait offre de paix, puis se remettait à l'abri. Pour l'heure, il n'avait d'autre choix que d'accepter ses conditions.

Son silence prolongé mit un comble au malaise d'Anna.

— Votre réserve est éloquente, déclara-t-elle avec froideur. Oublions cette idée impossible.

Elle s'empara de sa serviette et tourna les talons. Mieux valait en rester là, avant de se ridiculiser davantage.

— Attendez ! protesta-t-il en se précipitant à sa poursuite. J'ai simplement pris le temps de réfléchir, parce que je n'étais pas sûr d'arriver à ne pas vous manifester mon désir.

Après s'être cogné dans une table, il la ratrappa et lui reprit ses affaires en souriant.

— Mais si la seule façon de vous approcher est d'être votre ami, j'accepte. Et si je m'avise d'amender notre accord, je vous préviendrai à l'avance. Cela vous convient-il ?

Après une seconde d'hésitation, elle acquiesça.

— Très bien. Mais partons d'ici, à présent.

Pendant qu'elle ouvrait la portière de sa vieille Volkswagen, elle se rendit compte que Joshua avait eu raison : le parking était désert, à l'exception d'eux deux.

— Merci de m'avoir accompagnée, fit-elle en mettant le contact.

Les gaz d'échappement firent tousser Joshua.

— Vous aussi, vous aimez les antiquités, ironisa-t-il.

Elle considéra sa superbe Jaguar de collection, et esquissa une moue.

— Ma pauvre voiture est plutôt une épave…

— Il suffirait de la restaurer, comme la mienne, suggéra-t-il.

— Je n'y avais jamais songé. On me conseille généralement de l'envoyer à la casse, mais j'y tiens.

— Je pourrais venir vous prendre à votre bureau un soir cette semaine, offrit-il. Je connais un mécanicien de génie, sur l'île de Vashon. Je lui téléphonerai pour savoir s'il peut s'occuper rapidement de votre véhicule.

Aller à Vashon avec lui ? Ce serait la troisième soirée qu'ils passeraient ensemble en huit jours. Mais puisqu'il s'était engagé à des rapports amicaux, pourquoi pas ? Ce serait une telle joie de faire réparer Elizabeth !

— Entendu. Mais je ne connais pas encore mon emploi du temps. Pourriez-vous laissez un message à ma secrétaire ? Je vous recontacterai pour confirmer le rendez-vous.

— Parfait. Bonne nuit, belle amie.

Il lui donna une petite tape légère, du bout du doigt, sous le menton, avant de se redresser, un sourire malicieux aux lèvres. Puis, sans lui laisser le loisir de répondre, il s'éloigna et monta dans sa propre voiture.

Pensive, elle caressa sa peau là où il l'avait touchée. C'était toujours mieux qu'amants, n'est-ce pas ?

5

C E matin-là, sa course avait procuré à Anna un plaisir plus vif que d'ordinaire. Sous un ciel d'une limpidité de cristal, elle avait longé les quais, et contemplé dans le port les exercices des bateaux pompiers. Leurs immenses panaches d'eau, braqués sur d'imaginaires incendies, éclataient en myriades de particules translucides qui humectaient délicieusement l'air.

Avant de tourner vers le palais de justice, elle avait aperçu le ferry-boat *Hyak*, qui terminait la traversée d'Elliott Bay. Elle sourit; ce soir, avec Joshua, elle monterait à bord d'un tel navire.

A bout de souffle, elle entra dans le bureau de Miriam en lançant un joyeux :

— Bonjour !

— Bonjour, Anna. Je ne vous avais pas vue d'aussi bonne humeur depuis des semaines ! Cela aurait-il un rapport avec la surprise qui vous attend à côté ?

— Une surprise ?

La secrétaire haussa les sourcils en souriant d'un air mystérieux.

Anna pénétra dans ses quartiers privés; en plein milieu de la table trônait un grand panier rempli de superbes pommes rouges. Une faveur verte était nouée autour de l'anse, et une petite enveloppe en pendait. Anna la déchira, et lut sur le carton :

« Que le charme d'une femme peut aider l'élève !

Pour l'amour de la maîtresse, il chérit ses études. »

Ces quelques mots de George Farquhar m'obsèdent depuis quelques jours. Appelez-moi à midi, au 555.61.11. Joshua.

Anna eut un sourire amusé et mordit dans un des fruits. Ce cadeau lui évoquait l'époque des colons, et les écoliers appliqués qui apportaient à leur institutrice de telles offrandes. En cet instant, la vie lui semblait aussi savoureuse et parfaite que la pomme juteuse qu'elle dégustait.

Dans la salle de bains, elle procéda à une toilette plus longue que d'habitude, frictionna sa peau au gant de crin et décida même de se maquiller. Cette opération terminée, elle recula pour contempler son œuvre, et grimaça. Ce visage n'était pas le sien. Avec quelques mouchoirs en papier, elle effaça vigoureusement les traces de cette tentative malheureuse. Puis elle appliqua son brillant à lèvres et quelques touches de blush, et hocha la tête avec satisfaction.

L'espace d'un instant, elle se demanda si Joshua la jugeait belle; ce serait très flatteur ! Mais l'attirance physique n'avait pas sa place dans l'amitié, s'admonesta-t-elle. Le trouble qu'éveillaient en elle les larges épaules de Joshua, ses baisers brûlants, devait être banni à jamais de sa mémoire.

Et pourtant... Quel bonheur s'il ne reculait pas devant les difficultés de sa vie ! S'il l'acceptait sans réserve, toute limitée qu'elle était. Car en dehors de son métier, Anna s'estimait une femme bien inintéressante. Quel homme s'accommoderait de son caractère emporté, de son entêtement, de ses horaires surchargés...

Et surtout, de son refus de devenir mère.

S'arrachant à ses réflexions, elle noua hâtivement ses cheveux en chignon et gagna le prétoire.

La journée se déroula dans une succession d'affaires nouvelles, de recours, d'objections, d'instructions, d'auditions de témoins, de rétractations, de décisions, de mises en garde et enfin de sentences à prononcer. Mais à dix-sept heures précises, elle fuirait allègrement tout cela.

A un kilomètre environ de là, Joshua se précipita dans son bureau et décrocha le téléphone qui sonnait.

— Allô ! tonna-t-il.

— Allô toi-même, répondit une voix éraillée.

— Douglas ! s'exclama l'avocat. Excuse-moi de t'avoir accueilli de façon aussi agressive.

— J'avais envie de t'inviter à déjeuner, mais j'hésite, à présent, plaisanta son ami. Seras-tu capable de te montrer aimable et civilisé ?

— Si c'est toi qui régale...

— Marché conclu. Quelle heure te convient ?

— Retrouve-moi ici à midi moins le quart.

Il lui indiqua comment parvenir à Smith Tower, puis raccrocha doucement. Pensif, il fit tourner vers le soleil son fauteuil pivotant. Comment Anna allait-elle réagir à l'envoi de ce panier de pommes ? L'appellerait-elle ?

Le bruit d'une machine à écrire dans la pièce voisine le tira de ses rêveries. Il secoua la tête et se força à reprendre son travail.

Il convoqua Tiffany, la stagiaire qu'il formait, et avec elle passa en revue trois nouveaux dossiers qui lui étaient assignés. La jeune fille se chargea volontiers d'aller vérifier si le casier judiciaire d'un des clients ne comportait aucune inculpation antérieure.

La matinée s'écoula si rapidement que Joshua fut surpris lorsqu'un vieil homme au visage ridé pénétra dans son bureau.

— Douglas ! s'exclama-t-il. Déjà si tard ?

— Tu as encore laissé couler le temps, paresseux ? taquina Douglas, avec son accent chantant d'Irlandais.

Joshua avait tant de choses à lui raconter sur sa nouvelle carrière, qu'il se lança dans une narration effrénée. Douglas l'interrompit finalement, amusé :

— Parbleu ! Tu es surexcité. Qu'est-ce qui te met dans cet état ?

Dépité d'avoir si vite trahi son agitation, Joshua hésita quelques instants puis confia à Douglas ses projets pour la soirée.

— Si toutefois elle m'appelle, conclut-il, tendu. Pourrais-tu, par hasard, nous concocter un de ces festins dont tu as le secret ?

— Tu veux donc l'éblouir ?

— Tout juste. Et *Doug's Island Inn* n'est-il pas le lieu idéal pour cela ?

— Je vois... Un vin blanc sec, ma tourte au saumon fumé, une soupe *Ballyconneely*, du pain frais maison... Et surtout, la lueur romantique d'une petite lanterne, ajouta-t-il avec un clin d'œil.

— Tu m'as compris, acquiesça Joshua, ravi.

Douglas avait toujours tenu un rôle important dans sa vie. Employé par ses parents avant même la naissance de Joshua, il avait été l'homme à tout faire chez les Brandon. Ses fonctions comprenaient aussi bien la réparation des gouttières ou l'entretien des terrasses, que les soins élémentaires aux deux fils de la famille. Aux échecs il avait régulièrement battu le grand-père de Joshua, avant d'apprendre à l'enfant lui-même à jouer aux dames. Il les laissait toujours gagner, lui et son frère Maurice, mais les garçons avaient fini par percer à jour son manège.

Douglas avait été pour Joshua plus qu'un ami, une sorte de second père. Il avait dispensé sans compter l'amour, la discipline, et ses précieux enseignements. C'était une dette que rien ne saurait racheter.

Quand les jeunes Brandon étaient partis à l'université, Douglas avait ouvert son restaurant sur Vashon Island. Le cadre lui rappelait son Irlande natale, mais Joshua devinait en lui une certaine nostalgie; ses responsabilités d'éducateur lui manquaient.

— Si tu me parlais davantage de cette jeune personne ? suggéra Douglas. Pour te rendre aussi nerveux, elle doit t'inspirer des idées sérieuses…

— Pas du tout, nia Joshua. Je l'amène simplement sur l'île pour que Martin répare sa voiture. Et surtout, ne va pas émettre la moindre insinuation en sa présence, l'avertit-il en riant. Anna est farouchement attachée à son indépendance.

— Bouche cousue, promit Douglas d'un ton de conspirateur. Mais pour en revenir à ce que tu me racontais au début, ta nouvelle profession a l'air de te plaire ?

— « Nouvelle profession », répéta Joshua, songeur. C'est drôle, j'ai passé dix ans à remuer des paperasses, à négocier des contrats qui se chiffraient en millions, mais c'est seulement maintenant que j'ai l'impression d'être vraiment un avocat. Pendant mes études, le droit était pour moi synonyme d'aider les gens.

— Crains-tu d'avoir perdu ton temps ?

— Non, admit Joshua, hésitant. Ces années d'entreprise m'ont bien servi. J'ai gagné ma vie, investi mes bénéfices et j'en suis plutôt fier. L'argent des Brandon ne

me fait plus honte, comme quand j'en avais simplement
hérité.

— Tu ne dois plus rien à personne, approuva Douglas.
Tu peux agir comme bon te semble, sans culpabilité.

— Culpabilité ? s'étonna Joshua.

— Avoue-le, tu as toujours eu peur d'être catalogué
comme un fils de riche, un parasite.

— Tu as raison, concéda Joshua. Mais ce n'était pas
uniquement une question de fortune. Personne n'avait
besoin de moi, vois-tu ? Aujourd'hui je peux me rendre
utile.

— Ne me dis pas que tu te sentais mal aimé ?

— Bien sûr que non ! Mais on ne se reposait pas sur
moi, que ce soit pour tondre la pelouse, sortir les poubel-
les, faire mon lit ou réparer la voiture. Je n'étais vraiment
pas indispensable.

— Tandis que ton poste actuel te donne l'impression
de l'être ?

— Peut-être convint Joshua, distrait.

En fait il songeait à Anna. Pourrait-il combler un
certain manque, chez elle ? Etait-ce cela qui l'attirait ?

Malgré tous ses doutes, il avait une certitude : la
beauté pure d'Anna, la grâce naturelle de ses mouvements, le fascinaient au-delà de toute expression. Lorsqu'il la regardait, un impérieux désir presque douloureux
naissait en lui. C'était incompréhensible. Aucune des
femmes pourtant ravissantes qu'il avait côtoyées ne
l'avait jamais affecté de la sorte.

Car Anna possédait plus que son physique et ce côté
vulnérable, à peine perceptible. Ce charme indéfinissa-
ble venait-il de son humour ? De son étonnante force, si
féminine pourtant ?

Douglas toussota discrètement.

— Tu es bien loin, fils, remarqua-t-il. D'après ton

expression, je parierais que tu pensais à cette fameuse Anna.

— Exact, reconnut Joshua en riant. Elle m'intrigue, mais je ne suis pas encore sûr qu'elle en vaille la peine.

— Je connais des hommes mariés depuis quarante ans qui se posent toujours la même question, rétorqua Douglas. Mais...

La sonnerie stridente du téléphone interrompit sa phrase. Au lieu de décrocher immédiatement et de trahir son impatience, Joshua attendit quelques secondes. Puis il répondit d'une voix calme :

— Allô ?

— Bonjour, Joshua. Ici Anna Provo. J'ai bien reçu votre petit mot.

— Merci d'avoir appelé. Serez-vous libre ce soir ?

— Sans problème, en principe. Je n'ai que des affaires assez simples à traiter, aujourd'hui. Rendez-vous au palais à dix-sept heures ?

— Parfait, acquiesça-t-il avec une feinte nonchalance. A plus tard, donc.

— Oh, Joshua, ajouta-t-elle d'un ton incertain qui émut le jeune homme. Merci de votre charmant cadeau. Et surtout bravo pour la citation. Où l'avez-vous dénichée ?

— Un vieux souvenir épousseté pour l'occasion, jeta-t-il, indifférent apparemment.

Après une courte pause, Anna reprit :

— Eh bien, je vous remercie. Au revoir.

— Au revoir, Anna.

Joshua reposa doucement le combiné, puis s'adressa à son ami :

— Viens, Douglas. Allons déjeuner.

— Pas si vite, objecta-t-il. Une invitée de marque est censée dîner chez moi ce soir. Comment veux-tu que je lui mijote un chef-d'œuvre si je perds mon après-midi à bavarder avec toi ?

Sur ces mots, le vieil homme se leva et sortit d'un pas vif. A la porte il se retourna, releva sa casquette du pouce, et gratifia Joshua d'un large sourire.

Quelques cinq heures plus tard, Anna agrafa un dernier mot dans un dossier, et le referma. Son travail terminé, elle s'adossa à sa chaise et inspira profondément.

Miriam passa la tête dans l'entrebâillement de la porte.

— Y a-t-il autre chose ? s'enquit-elle.

— Plus rien, Miriam. A lundi.

— Ah, j'oubliais, ajouta la jeune fille. Le paquet de la pharmacie a été livré, je l'ai rangé dans votre tiroir inférieur.

— Merci, fit Anna en ouvrant le sachet où se trouvaient ses plaquettes de pilules.

— Ce nouveau traitement vous convient mieux ?

— Tout est arrangé. Je vous suis reconnaissante de m'avoir recommandé votre gynécologue.

Tout en chantonnant un de ses passages favoris des *Quatre Saisons* de Vivaldi, Anna gagna sa salle de bains privée pour se changer. Elle choisit son nouveau jean à fines rayures pâles, confortable et qui dessinait à ravir la courbe de ses hanches et de sa taille fine. Par-dessus, elle enfila un pull-over turquoise à col boule, long et ample. Enfin pour compléter sa tenue, elle chaussa des boots à revers en daim, et emporta un imper. Parfaitement équipée pour la fraîcheur d'une soirée de printemps, elle s'apprêta à sortir, après s'être coiffée d'un béret assorti à son tricot.

Tout en fermant son bureau à clé, elle consulta sa montre : cinq heures précises. La ponctualité était chez elle presque une obsession, en réaction sans doute aux retards systématiques de ses parents :

— Si l'on t'invite à dîner à six heures, n'arrive jamais avant sept heures, prêchait sa mère. C'est impoli de se montrer trop impatient.

Exacte pour sa part, Anna se réjouit à la perspective d'une soirée entière en compagnie de Joshua. Elle avait tort, sans doute, de le revoir déjà, mais justifiait cette imprudence par la nécessité de remettre Elizabeth en état.

L'ascenseur lui sembla extraordinairement lent à descendre jusqu'au rez-de-chaussée. Enfin les portes coulissèrent, et elle aperçut immédiatement la chevelure cendrée de Joshua. Il fouillait la foule du regard et Anna, inexplicablement, fut enchantée de le voir la chercher ainsi. Quand il la repéra, son visage s'éclaira, et il se fraya un passage pour la rejoindre.

— Bonsoir, lança-t-il gaiement. Où se trouve votre Volkswagen ?

— Elizabeth nous attend dans le garage souterrain, juste en face. Je l'ai amenée ce matin avant d'aller courir.

— « Elizabeth » ? Vous avez donné un nom à votre voiture ?

— Chut ! Qu'elle ne vous entende jamais la traiter de voiture, ou elle sera vexée, plaisanta Anna. J'ai un faible pour les machines personnalisées, voyez-vous.

Il secoua la tête en souriant.

— Dépêchons-nous, si nous ne voulons pas manquer le ferry de dix-sept heures trente.

Ils gagnèrent rapidement le parking, et Anna s'installa au volant. Elle s'efforça de passer la marche arrière sans faire grincer la boîte de vitesses. Mais fidèle à elle-même, Elizabeth émit un sinistre craquement. Joshua grimaça.

— Martin devra commencer par une petite révision de la transmission, remarqua-t-il.

— « Petite » ? fit-elle en riant. Vous êtes bien optimiste !

— Dois-je parler sous la foi du serment ?

— Absolument. La vérité, toute la vérité, et rien que la vérité. Elizabeth mérite-t-elle une seconde vie ?

Joshua tapota le tableau de bord, et répondit :

— Chacun a le droit de vivre aussi bien qu'il le peut. Aucun défaut, aucune cicatrice, aucune blessure passée ne doit pouvoir l'interdire. Simplement, le nouveau départ est parfois coûteux. Etes-vous prête à en payer le prix ?

Anna eut la nette impression que ces déclarations s'appliquaient autant à elle qu'à son vétuste véhicule. Mais elle n'en laissa rien paraître, et répliqua avec un feint détachement :

— Les services de votre ami Martin sont donc fort onéreux ?

— En effet. Cela vous pose-t-il un problème ?

— Non. Une nouvelle auto me coûterait plus cher, et je serai contente de pouvoir conserver la mienne.

— Simplement, il faut laisser toute liberté à Martin.

— Vous me connaissez mal, sinon vous sauriez que ce que j'entreprends, je le suis jusqu'au bout. J'espère seulement que Martin sera à même de sauver Elizabeth. J'ai horreur de perdre des amis.

— Ceux du genre humain aussi, ou seulement les mécaniques ?

Anna ne riposta pas, absorbée dans la tâche délicate de manœuvrer la Volkswagen dans le labyrinthe étroit de l'accès au bateau. Un employé corpulent lançait des ordres frénétiques aux conducteurs, afin que pas un centimètre carré de place ne soit gâché. L'état du Washington avait beau s'être doté de la flotte de ferry-boats la plus importante du monde, aux heures d'affluence la capacité était encore insuffisante. Cars, camions, tracteurs, caravanes et motos étaient si serrés, qu'Anna devait se concentrer totalement sur sa tâche. Elle exhala un soupir de soulagement lorsqu'elle toucha le pare-chocs de la voiture précédente et coupa le contact.

Enfin elle se tourna vers Joshua, prête à lui faire une réponse anodine. Mais il arborait une expression si sérieuse que, prudente, elle préféra demander :

— Que vouliez-vous dire ?

— Que si je respecte les règles de l'amitié, puis-je compter sur votre réciprocité ? Je n'engage pas de relations à la légère, et je tiens à vous le faire savoir. La vie est trop courte pour la gaspiller en rencontres sans lendemain avec des êtres inintéressants.

— Tels que ? Les gens dépourvus de fortune et d'influence ?

Des rumeurs lui étaient parvenues sur les origines de Joshua : un fils de famille riche, puissante, appartenant à la haute société. Une fille d'immigrés qui tenaient un modeste commerce russe au marché ne comptait pour rien face à tout cela.

— Avez-vous des critères pour évaluer l'importance de vos contacts ? railla-t-elle encore. Comment est cotée ma propre valeur ? Aujourd'hui, juge Provo en hausse d'un point. Demain, baisse de deux points.

— Absolument pas ! explosa-t-il, ulcéré. J'ai peut-être beaucoup de défauts, mais le snobisme n'en est pas un. Les personnes qui ne m'intéressent pas sont celles qui se contentent de vous encombrer l'existence, sans rien vous apporter de positif. L'argent, le pouvoir n'entrent pas en ligne de compte. Ils interviennent parfois dans l'image que j'offre au monde, mais dans ma vie privée, non. Et c'est cet aspect de moi-même que j'aimerais vous dévoiler un peu, ce soir.

Anna, émue de sa sincérité, regretta l'acrimonie de ses accusations. Le besoin d'établir une séparation nette entre sa personnalité publique et secrète était quelque chose qu'elle comprenait bien. Si seulement elle pouvait aussi facilement inviter Joshua à découvrir sa propre face cachée !

— Pardonnez-moi, murmura-t-elle, contrite. Je sais ce que vous voulez dire. Et vos propos éclairent parfaitement mon souci de n'admettre entre nous que de l'amitié, malgré la tentation que vous représentez pour moi...

— Vous m'étonnez, plaisanta-t-il. Ai-je l'air d'un tentateur ?

— Au lieu d'analyser votre caractère, allons donc respirer dehors, voulez-vous ?

— Excellente idée.

Ils gravirent l'étroit escalier en colimaçon jusqu'au pont supérieur, et contemplèrent les immeubles de Seattle qui s'estompaient à l'horizon. Le vent marin plaquait leurs vêtements contre eux, et Anna nota le regard admiratif dont l'enveloppait Joshua. L'air du large semblait chasser les tracas de la ville, nettoyer et reposer l'âme. La jeune femme exhala un soupir de bien-être.

Une bourrasque faillit arracher son béret, et de longues mèches cuivrées s'en échappèrent, qu'elle s'efforça de dissimuler à nouveau.

— S'il vous plaît, non, pria Joshua en retenant ses mains. Vous êtes si belle, avec vos cheveux dénoués ! Une merveilleuse figure de proue, en l'occurence. Pourquoi portez-vous toujours un chignon ?

— Pour présenter une apparence plus digne au tribunal. Les hommes, surtout, me prennent plus au sérieux ainsi.

— Mais vous n'êtes plus au palais, et je vous l'ai

demandé gentiment. Ferez-vous une exception pour moi ?

Le bon sens d'Anna lui soufflait de mettre fin à cet échange trop intime. Mais le compliment de Joshua lui avait plu. Elle répliqua sur le même ton enjoué :

— Que pensera donc Martin en voyant arriver une rousse échevelée au volant d'une Volkswagen délabrée ?

— Il se plaindra de ne pas vous avoir trouvée avant moi, répliqua Joshua en effleurant son bras.

— Nous devrions peut-être retourner à la voiture ? suggéra-t-elle pour dévier la conversation.

— Qu'y a-t-il ? protesta-t-il. Ne pouvez-vous accepter un hommage sincère ? Je ne vais pas devenir aveugle sous prétexte que nous devons rester amis. Vous êtes superbe, Anna.

— Ce genre de discussion me met mal à l'aise.

— Mais qu'implique donc l'amitié, pour vous ? dois-je sciemment ignorer votre beauté ? Et vous, allez-vous nier mon charme masculin ?

— Bien sûr que non !

Joshua, elle le savait, la mettait au défi. Sous couvert de cette relation platonique, il escomptait tout autre chose. Chacun des gestes du jeune homme, la moindre de ses paroles, accentuait inéluctablement le pouvoir qu'il exerçait sur elle. Pourtant, une attirance aussi foudroyante ne pouvait être qu'un feu de paille, raisonna-t-elle. Bientôt, elle retrouverait son sang-froid, et ne serait plus esclave de ses sens.

Joshua avait observé les changements d'expression qui s'étaient succédés sur ses traits harmonieux. Il ne put résister à l'envie de caresser du pouce sa joue veloutée. Elle avait peur, c'était flagrant. Mais si tout se passait ce soir de la façon prévue, elle commencerait à se rassurer et abaisserait ses défenses...

6

L E navire corna deux fois pour avertir les passagers
de l'arrivée à quai. Dans l'escalier conduisant aux
soutes, Anna s'inquiéta des manœuvres à effectuer pour la descente en voiture. Quand Niki et elle
passaient la journée dans une des îles, ils prenaient
seulement leurs bicyclettes, pour éviter ces acrobaties.

— Je n'aime pas conduire dans ces conditions, remarqua-t-elle, riant pour atténuer son appréhension.

— Donnez-moi les clés, proposa Joshua. Cela m'évi-
tera de vous indiquer le chemin.

— Volontiers.

Reconnaissante, elle lui lança le trousseau qu'il attrapa
adroitement au vol.

Il pilota sans accroc la petite Volkswagen pour quitter
leur emplacement, et peu après il franchissait la passerelle menant à terre. Pendant qu'il suivait la route pitto-
resque le long de la côte ouest, Anna l'étudia à la déro-
bée, à l'aise dans le confortable silence qu'aucun des
deux ne rompit. Il poussait la Volkswagen un peu plus
qu'elle-même ne l'eût fait, mais sans excès. Excellent
conducteur, il semblait deviner d'instinct les capacités du
véhicule.

Dans les jardins, les rhododendrons en fleurs exhi-

baient leurs chatoyants coloris mauve, rouge et rose vif.
Au pied des sapins géants et des cèdres majestueux,
s'étalaient de luxuriantes fougères et l'Oregon. La den-
sité des sous-bois ne manquait jamais d'émerveiller
Anna; on eût dit une véritable jungle, mais hors des
tropiques, sous des cieux tempérés.

La forêt avait été défrichée par les colons pour offrir
au bétail de riches pâturages. Dans un champ vallonné,
Anna aperçut un couple de lamas.

— Regardez ! s'écria-t-elle. Que font-il ici ?

— Nombre d'habitants en gardent comme animaux
familiers. Ce sont des créatures douces et timides. Si vous
voulez en voir de plus près, un de mes amis en élève.

— Martin ?

— Non. Un certain Douglas Casey.

— Mais nous allons le déranger si nous arrivons à
l'improviste.

— Doug a fait sienne la devise : « plus on est de fous,
plus on rit ». Quoi qu'il en soit, il nous attend.

— Ah ? fit-elle, méfiante. Puis-je connaître vos projets pour la soirée ?

Ne laissait-il donc jamais rien au hasard ? Face à l'imprévu, quelle serait sa réaction ? Car la vie réserve toujours des surprises, Niki le lui prouvait régulièrement...

— Doug est propriétaire d'un restaurant, expliqua
Joshua. J'avais pensé que nous pourrions y dîner après
avoir vu Martin.

— Et ce virtuose de la mécanique, comment l'avez-
vous connu ?

— Martin ? Oh, cela remonte à nos années d'école, se
remémora-t-il d'un air amusé. Tout jeune déjà, il pouvait réparer n'importe quoi. Mais vraiment : du grille-
pain au lave-linge, en passant par la machine à écrire. Et
surtout, les voitures.

— *Mama* l'adorerait ! s'exclama-t-elle en riant. *Papa* ne sait même pas changer un joint de robinet.

— C'est mieux que ma mère : elle ne pourrait pas faire cuire un œuf.

— Sérieusement ?

— Très. Mais je vous racontais comment Martin et moi sommes devenus amis. Nous étions dans la même classe, et j'étais un élève studieux. Lui était réputé n'utiliser ses livres que pour s'asseoir dessus. Il est petit, voyez-vous, et se plaçait toujours au fond pour passer inaperçu quand il arrivait en retard. Il avait donc besoin de se rehausser pour voir par-dessus les têtes.

— Vous n'étiez pas destinés à vous rapprocher, apparemment.

— Il a fallu pour cela un événement particulier, enchaîna-t-il. Mes parents sont partis quelques semaines en Europe, nous laissant, mon frère et moi, aux bons soins du personnel de la maison. J'ai... « emprunté », disons, la Maserati flambant neuve de mon père. Et je me suis empressé de l'emboutir dans un arbre.

— Ne me dites pas que je vais dîner avec un ex-délinquant juvénile ? fit Anna avec espièglerie.

— Un ex-pilote de course, dont la carrière fut prématurément interrompue par un épicéa, rectifia-t-il.

— Vous avez pensé à Martin, qui a réparé le bolide avant le retour de M. Brandon père ? devina-t-elle.

— Exactement. Je ne pouvais pas passer par le concessionnaire ni la compagnie d'assurances, mon père en aurait été avisé immédiatement. Martin et moi avons donc conclu un pacte : je lui donnerais des cours particuliers jusqu'à la fin du lycée, et il sauverait ma tête.

Cet aperçu de son adolescence turbulente, de ses jeunes amitiés, émut la jeune femme. Joshua n'était plus seulement un séduisant avocat croisé parfois au palais, ni un admirateur acharné à la courtiser. Il se révélait à elle intimement, devenait réellement un ami.

— Je suis si heureuse qu'il puisse ressusciter Elizabeth ! commenta-t-elle pour donner un tour moins intime à la conversation. En aura-t-il pour longtemps, à votre avis ?

— Une semaine sans doute, peut-être deux. Allez-vous être gênée ?

— Pas du tout. Je peux aller n'importe où en marchant, en courant, ou par les transports en commun.

— Stoïque et indépendante ! taquina-t-il en lui tapotant l'épaule.

Elle s'esclaffa avec lui, ce qui la fit réfléchir. Il avait le don de faire ressortir le pire, en elle, de débrider une irascibilité qu'elle maîtrisait, d'ordinaire. Mais il savait également libérer en elle une joie de vivre, une insouciance précieuses. Quel être fascinant. Plus elle le découvrait, plus elle souhaitait le connaître. Pourtant il n'en était pas question, car elle ne pouvait l'autoriser, en contrepartie, à pénétrer dans sa vie...

Les cahots d'une voie de garage défoncée l'arrachèrent à ses rêveries.

— Sommes-nous arrivés ? s'enquit-elle.

Joshua hocha la tête en souriant, et s'arrêta devant une sorte de hangar. Il donna quelques coups de klaxon, et un homme de stature frêle apparut en leur adressant un signe amical.

— Bonsoir, Josh, déclara-t-il avec chaleur.

Joshua sortit avec difficulté de la petite Volkswagen et se leva.

— Bonsoir, Martin. Voici la dame dont je t'ai parlé, expliqua-t-il en caressant la carrosserie de la coccinelle. Elizabeth, je vous présente Martin.

Le mécanicien n'avait d'yeux que pour Anna, sa chevelure rousse et sa silhouette de sylphide.

— Voyons, Josh ! lui reprocha-t-il. Ce n'est pas à la voiture que je veux être présenté.

Il essuya sa main droite sur son bleu de travail et la tendit à la jeune femme.

— Bonsoir, Martin, fit-elle gaiement. Je m'appelle Anna, Anna Provo.

— Tout à coup je regrette de ne pas avoir mieux réussi mes études, remarqua-t-il d'un air facétieux. Si seulement j'avais fait médecine ! J'aurais préféré vous avoir pour patiente, plutôt que ce véhicule.

— Trop aimable, plaisanta-t-elle, rougissant pourtant de cet hommage. Mais je ne suis pas malade. En revanche, si vous pouviez réparer Elizabeth... Ce n'est pas une Maserati, vous savez...

Déconcerté, Martin bredouilla :

— Il vous a raconté cela ? Quelle marque de confiance ! Nous nous étions jurés le secret. Encore aujourd'hui, son père aurait sans doute une attaque s'il apprenait l'histoire.

D'emblée, Anna éprouva une vive sympathie pour Martin. Sa franchise, ses manières un peu désuètes, lui allaient droit au cœur. A l'évidence, Joshua choisissait ses amis avec discernement.

— Joshua dit que vous aimez travailler en toute liberté, reprit-elle. Vous avez carte blanche, en ce qui me concerne. Faites tout ce qui vous semblera nécessaire.

— Parfait, acquiesça-t-il avec une satisfaction manifeste. Josh, emmène donc Anna à l'intérieur et offre-lui à boire. Je vous rejoindrai dans quelques minutes, le temps de jeter un coup d'œil à cette demoiselle pour un premier diagnostic.

— Venez, Anna. laissons se concentrer le maître.

Joshua entraîna la jeune femme vers une étroite volée d'escaliers, à une extrémité du bâtiment. Pendant qu'ils gravissaient les marches malcommodes, ils s'effleurèrent plusieurs fois, involontairement. Même ce contact innocent troublait Anna. Une délicieuse chaleur se répandit en elle, et elle sut qu'un rien suffirait à lui faire abandonner toute réserve. Le pouvoir de Joshua sur elle était effrayant.

Devant la lourde porte en chêne, il adressa à sa compagne un sourire jubilant; visiblement il guettait sa réaction au spectacle qu'elle allait découvrir. Et en effet, la demeure de Martin, plus qu'originale, était superbe et insolite. Accrochées aux murs entièrement lambrissés de cèdre, étaient exposées des centaines de pièces de voitures, dont beaucoup semblaient dater des origines de l'automobile : volants en bois de Fords T, leviers de vitesses, rouages de tailles diverses, phares — ou plutôt lanternes en cuivre... Sans compter d'innombrables objets dont Anna ne pouvait deviner le rôle.

Elle s'efforça de paraître blasée, mais ne put masquer sa stupeur. Les deux sofas étaient des banquettes en cuir tirées de luxueuses limousines, et montées sur socles. En guise de table basse, Martin avait utilisé le capot rouge d'un véhicule ancien. Un piston reconverti en cendrier était posé au milieu, près d'un bol à fruits, autrefois un enjoliveur de roue.

— C'est unique, non ? souffla Joshua.

— Un véritable musée ! s'exclama-t-elle.

— Regardez ceci.

Elle étudia l'abat-jour en velours gris, frangé de soies assorties, qu'il désignait.

— Cela vient d'une Stanley à vapeur, affirma-t-il.

— Une *quoi* ?

— Elle fonctionnait avec un moteur à chaudière. En

cas de panne, il suffisait de descendre couper du petit bois, de prendre un peu d'eau au ruisseau le plus proche, et l'on repartait.

— C'est impossible ! protesta-t-elle, incrédule.

— Il exagère un peu, intervint Martin, de la porte.

D'un pas vif il vint auprès d'eux et contempla amoureusement la lampe.

— La Stanley était un vrai chef-d'œuvre. En 1898, elle a battu le record mondial de vitesse. Elle frôlait les quarante-six kilomètres-heure, et pouvait négocier une côte de trente degrés ! Vous vous rendez compte ?

Bouche bée, Anna ne savait que répondre. Son ignorance en la matière était totale.

— Si nous revenions aujourd'hui à la propulsion par vapeur, nous pourrions éliminer toute la pollution due aux procédés par combustion interne, insista Martin, enthousiaste. La purification de l'atmosphère serait par conséquent...

— Doucement, l'arrêta Joshua. Tu vas noyer Anna dans l'océan de tes connaissances.

— Désolé, murmura Martin. Maintenant c'est moi qui exagère.

— Absolument pas, le rassura-t-elle. Je trouve cela merveilleux. Votre maison est extraordinaire, et vous aussi.

Aussitôt le rouge envahit les joues du mécanicien. Il s'essuya nerveusement les mains sur un chiffon.

Pour le secourir de sa gêne, Joshua l'interrogea sur le travail que nécessiterait Elizabeth. Tous trois s'entretinrent un moment des détails des réparations à effectuer, puis, quant au coût, Martin s'expliqua :

— Je ne l'ai examinée que superficiellement, il me faudra plus longtemps pour établir un devis exact. Puis-je vous appeler demain, Anna, pour vous proposer une estimation ?

— C'est donc si grave que cela ? fit-elle en riant. Oui, demain ce sera parfait.

— Voulez-vous que je vous ramène au port ? offrit-il.

— Volontiers, accepta Joshua. Dépose-nous chez Doug. Nous allons dîner en grand style, ce soir.

— On ne trouve pas de meilleure table dans tout le pays, confirma Martin.

Il les précéda à l'arrière du garage, et ouvrit la portière d'un véhicule dont l'état laissa Anna médusée : une camionnette à remorque complètement délabrée, à la carrosserie enfoncée et rouillée.

— Vous roulez là-dedans ? interrogea-t-elle, stupéfaite.

L'air penaud, Martin tenta de se justifier :

— Vous savez bien, on dit que ce sont les cordonniers les plus mal chaussés...

La cabine débordait de batteries, de câbles, de chaînes, de bidons d'huile, et d'un assortiment hétéroclite d'outils et de pièces de rechange, bougies, filtres à air, etc. Il restait à peine assez de place pour le conducteur, quant à d'éventuels passagers...

Joshua empila le matériel au centre de la banquette pour libérer une place, où il s'assit. Puis il tendit la main à Anna, en montrant ses genoux.

Elle ne put dissimuler sa réticence, qu'il trouva compréhensible : la situation pouvait sembler combinée d'avance. Pourtant, il n'était pas question de vider les affaires de Martin, qui aurait à les recharger au retour.

— Je promets de me conduire en parfait gentleman, assura Joshua.

Après une dernière hésitation, Anna grimpa gracieusement et s'installa sur ses cuisses, en s'appuyant sur le

tableau de bord pour ne pas peser entièrement sur lui.
Martin mit le contact, et le moteur, plus sain que la
carcasse, répondit au quart de tour. Après une dizaine de
mètres sur le passage défoncé, ils atteignirent la route et
se mirent à rouler sans heurt.

Joshua posa un bras sur le dossier, et l'autre sur le bord
de la fenêtre. Il brûlait d'envie de les refermer sur la taille
fine d'Anna et de l'attirer contre lui, mais elle déployait
de tels efforts pour tenir ses distances qu'il se devait de
respecter sa volonté.

Il se concentra sur le paysage. Partout alentour, le vert
régnait en maître — vert des sapins, des prairies, des
fougères...

— Je me suis desséché, en Californie du sud, commenta-t-il à haute voix. Il va me falloir des années ici
pour oublier toute cette aridité !

— Un bon week-end de camping pourrait accélérer ta
réacclimatation, suggéra Martin.

Joshua se remémora les heureux moments passés sous
la tente avec son ami, dans leur adolescence. Martin lui
enseignait des chants folkloriques, au coin d'un feu de
camp... Sa voix de ténor retentit soudain dans le camion,
faisant sursauter Joshua. Il échangea avec lui un regard
de vieille complicité, et joignit son baryton au refrain.

Anna les dévisagea l'un après l'autre, éberluée. Elle
en oubliait de se crisper, nota Joshua avec plaisir tandis
qu'elle se détendait sur ses genoux. Apprendre de vieilles
chansons traditionnelles avait toujours été un des passe-temps favoris de la jeune femme.

Elle leur proposa une mélodie à plusieurs voix, « La
damoiselle rescapée de la potence ». Ils donnèrent tour à
tour la réplique à son mezzo-soprano d'une pureté de
cristal :

— Que laisseras-tu à ton père aimé, la belle ? chanta Joshua.

— Le blanc destrier qui me ramena chez nous, répondit-elle gaiement.

— Et que laisseras-tu à ta mère chérie, la belle ? questionna Martin.

— Ma robe de soie et mon manteau de velours, fit-elle en soulevant sa chevelure d'un air coquin.

— Et à ton frère John, que laisseras-tu ? lancèrent les deux hommes en chœur.

— La potence pour le pendre ! conclut-elle en battant des mains.

Les trois jeunes gens émirent de grands rires joyeux. Dans un élan spontané Joshua étreignit Anna, et elle noua ses bras autour de son cou.

Un confortable silence se fit dans la cabine, tandis que Martin poursuivait son chemin. Sans crainte, à présent, Anna resta blottie contre Joshua, la tête sur son épaule.

C'est à contrecœur qu'elle descendit, devant *Doug's Island Inn*. Personne n'avait voulu rompre la paix qu'ils partageaient, et sans mot dire, Anna contourna le véhicule pour aller saluer Martin. Il prit sa main et, toujours muet, la porta lentement à ses lèvres. Puis il passa la marche arrière et s'en alla dans sa vieille camionnette.

— A présent je veux vous présenter un autre ami très cher, déclara doucement Joshua.

Il l'entraîna vers l'auberge, dont la façade assez anodine ne laissait pas présager du cadre intérieur, chaleureux et accueillant. Grâce à une ingénieuse disposition, chaque table était isolée dans une niche enclose de meubles rustiques et de plantes. Le décorateur avait réussi à reconstituer dans le restaurant, nombre de petites salles à manger privées, chacune face à une fenêtre donnant sur la baie.

Un homme au visage tanné apparut à la porte des cuisines.

— Doug nous a repérés, murmura Joshua à sa compagne.

Elle vit s'avancer vers eux un homme plutôt âgé mais extraordinairement vif, un sourire malicieux aux lèvres.

— Bonsoir, fils, héla-t-il.

— Bonsoir Douglas. Je te présente Anna Provo.

— Enchanté. Je vois, Miss, que Joshua a hérité mon penchant d'Irlandais pour les beautés flamboyantes.

— Hérité ? Etes-vous parents, tous les deux ?

— Non, mieux que cela.

Quelle étrange remarque, songea-t-elle tandis que Douglas les conviait à s'asseoir. Quand il partit chercher les apéritifs, elle interrogea Joshua sur ce qu'il avait voulu dire.

— En un sens, Douglas est mon véritable père, expliqua-t-il. Mes parents l'avaient engagé comme jardinier, mais en fait, il nous a pour ainsi dire élevés, mon frère et moi.

— C'est incroyable, souffla Anna. En avez-vous gardé de l'amertune ?

— Bien au contraire, je leur suis très reconnaissant. Mon père et ma mère sont des gens très estimables, mais totalement inaptes à éduquer des enfants. Je les bénis d'avoir eu le bon sens, ou la chance, de dénicher Douglas.

— Cela m'horrifie que l'on puisse déléguer ses responsabilités parentales à un employé, commenta-t-elle. *Papa* et *mama* étaient si heureux, si fiers de leur progéniture ! Ils n'auraient pas abdiqué la joie de s'en occuper pour tout l'or du monde.

— Les miens auraient été non moins horrifiés à l'idée de s'en charger eux-mêmes, riposta-t-il en riant.

Anna étudia Joshua en silence, admirant ses yeux bleus si souvent pétillants d'humour, son épaisse chevelure blonde, légèrement ondulée au-dessus des oreilles, la moustache si britannique qui ornait sa lèvre supérieure, souriante... Elle eut envie de caresser son visage. Comment pouvait-il être si aimant, si fort, si optimiste ? Elle, épaulée sans faillir par une famille très unie, avait peine à égaler sa bonne humeur généreuse.

— Que vous voilà pensive, Miss Tempête...

Le surnom abhorré brisa la rêverie de la jeune femme.

— Pourquoi vous obstinez-vous à employer cê sobriquet ridicule ? s'insurgea-t-elle.

— Parce que c'est le moyen le plus efficace de vous arracher à ces méditations dans lesquelles vous vous égarez. Cela vous ramène auprès de moi.

Elle n'eut pas le temps de rétorquer, car Douglas revenait avec leurs coktails. Joshua tenta de le convaincre de s'asseoir, mais il avait trop à faire et les abandonna. Sans doute s'agissait-il d'un prétexte, devina Anna; en fait il s'éclipsait probablement afin de laisser le jeune couple en tête-à-tête. Une délicate attention, si elle avait souhaité un souper romantique dans ce cadre très propice. Mais elle préférait ne pas rester seule avec Joshua. Ou plutôt, elle désirait en effet le garder pour elle, mais c'était justement là le problème. Elle était en son pouvoir, comme ensorcelée.

Joshua perçut immédiatement son retrait. Jamais il n'avait connu de femme aussi compliquée. Elle l'attirait pourtant irrésistiblement, mais elle était si facilement apeurée qu'il ne pouvait risquer de la brusquer. Il devait patienter, attendre qu'elle vienne à lui de son plein gré.

— Qu'avez-vous pensé de Martin ? s'enquit-il dans l'espoir de trouver un terrain neutre qui la rassurerait.

— C'est quelqu'un de merveilleux, déclara-t-elle en souriant.

Elle fouilla son sac à la recherche de ses lunettes. D'une part elle en avait besoin pour lire la carte, mais surtout, ce stratagème familier lui permettait de prendre ses distances. Chaque fois qu'elle prenait son air studieux et intellectuel, les hommes se désintéressaient d'elle.

— Votre étui est magnifique, observa Joshua quand elle le sortit. Et très original.

— Il est en écorce de bouleau, expliqua-t-elle. C'est mon père qui l'a fabriqué.

— Quel artiste ! Mais inutile de consulter le menu, précisa-t-il. Tout a été choisi pour nous.

Douglas leur servi une délicieuse tourte au saumon et au fromage fumante, dont l'arôme les tenta délicieusement pendant qu'il découpait les parts. Le beurre fondait sur le pain tout chaud sorti du four. Mais par-dessus tout, Anna se délecta du *colcannon* — une purée aérienne de pomme de terre et de chou-fleur.

Durant le dîner, ils bavardèrent agréablement, et Anna retrouva le sentiment d'amitié croissante que lui inspirait Joshua. Mais après avoir posé sa serviette sur la table, ce dernier s'enquit :

— Votre frère est-il aussi différent de vous que le mien de moi, Anna ?

Elle se raidit imperceptiblement. La question pouvait être éludée, bien sûr, mais il était sans doute temps de mentionner Niki. Joshua s'avèrerait-il aussi ouvert qu'il voulait le paraître ?

Elle hocha la tête.

— Niki et moi sommes en quelque sorte le jour et la nuit, répondit-elle. Ce n'est pas facile à dire, mais je vais essayer...

Pour se donner du courage elle but une gorgée de vin.

Puis, les yeux dans ceux de Joshua, elle déclara tout à trac :

— Niki est un arriéré mental.

Joshua s'adossa à sa chaise et sourit.

— C'est tout ? fit-il doucement.

— Comment cela, « c'est tout » ?

— Vous aviez une mine si mélodramatique ! Je m'attendais à apprendre que l'honorable juge Provo était la sœur d'un assassin, ou pire.

Pétrifiée de surprise, Anna se contenta de le regarder. Elle s'était attendue à une réaction de dégoût, de crainte, voire de pitié; au mieux à de la compassion. Mais qu'il plaisante ! Peut-être dramatisait-elle les choses, en effet. Elle n'y avait jamais réfléchi sous cet angle. Le handicap de Niki était pour elle un problème si sensible, impossible à évaluer objectivement. Chaque fois qu'elle avait tenté d'interroger ses parents là-dessus, ils affirmaient simplement : « Dieu nous a donné Niki ».

— Ecoutez-moi, Anna, pria Joshua en se penchant en avant pour prendre ses mains dans les siennes. Mon frère Maurice est extrêmement brillant, et pourtant, si vous saviez comme il m'ennuie ! Je parie que Niki est beaucoup plus sympathique et facile à vivre.

— Maurice n'est tout de même pas si terrible que cela ! protesta-t-elle en riant.

— Non. Il est bourré de défauts, mais je l'aime bien quand même. Et Niki ?

Elle fixa un instant le visage séduisant de Joshua, avant de répliquer :

— Je l'aime énormément, malgré ses difficultés.

— Vous voyez ! Nous avons la même idée des rapports familiaux, souligna-t-il avant de déposer un baiser sur le bout de ses doigts.

Pendant qu'ils regagnaient le quai, à une centaine de

mètres de là, Anna songea que Joshua et elle devenaient réellement des amis. Ils marchaient tout près l'un de l'autre sous le ciel limpide, où scintillaient des myriades d'étoiles. Se rappelant un vieux proverbe russe, Anna évita de regarder à l'ouest; car si une jeune fille apercevait Vénus, disait-on, elle se marierait bientôt. Si c'était la Voie Lactée qu'elle découvrait, une autre année de célibat s'annonçait. Et Anna ne savait quel avenir elle préférait...

Elle remarqua brusquement une jeune femme qui marchait devant eux sur la passerelle. Ses petits pas infiniment lents semblaient traduire une douleur insoutenable. Anna hâta le pas.

— Que se passe-t-il ? questionna Joshua, perplexe.

— Je l'ignore.

Sur le bateau elle rattrapa l'inconnue dont les longs cheveux noirs étaient attachés en queue de cheval. Elle tourna vers Anna un visage pâle où brillaient de grands yeux agrandis de crainte. Alors seulement Anna se rendit compte qu'elle était enceinte. Elle grimaça brusquement et ses genoux se dérobèrent sous elle.

— Etes-vous sur le point d'accoucher ? demanda Anna en la soutenant.

— J'en ai peur, souffla-t-elle.

Le ferry-boat s'ébranla, et Anna s'en réjouit : Vashon n'était pas doté d'un hôpital. Mieux valait gagner Seattle au plus vite.

Joshua les avait rejointes et jaugea en un clin d'œil la situation. Il souleva de terre la malheureuse qu'une nouvelle contraction paralysait, et l'emporta sur le pont supérieur. Il l'installa le plus confortablement possible sur une banquette molletonnée, et roula son veston pour lui servir d'oreiller. Puis il prit son mouchoir pour tamponner son visage luisant de transpiration.

— Comment vous appelez-vous ? s'enquit-il.

— Julie Hewitt.

— Eh bien, Julie, je suis Joshua, et voici Anna. Elle va aller chercher le commissaire du bord pour lui faire envoyer un message radio. Une ambulance vous attendra à Seattle sur le quai. Faut-il avertir quelqu'un d'autre ? Des parents ? Des amis ?

— Nous sommes arrivés depuis peu de Floride, haleta Julie.

— « Nous » ?

— Mon mari est en manœuvre avec les forces de l'OTAN. Un entraînement à la survie près du Mont Rainier. Sans communication avec l'extérieur.

Entre-temps Anna avait trouvé le commissaire, qui promit de contacter l'hôpital. Elle lui demanda si, en cas de nécessité, il saurait mettre au monde un enfant. Mais comme tous les membres de l'équipage, il ne connaissait que quelques techniques élémentaires de sauvetage.

Elle retourna très vite auprès de Joshua, la gorge nouée. Elle ignorait tout de l'accouchement, et se sentait totalement démunie face à l'urgence de la situation.

— Qu'allons-nous faire ? souffla-t-elle à Joshua.

Un petit attroupement de curieux s'était formé. Mais étant donné l'heure tardive, les passagers n'étaient guère nombreux, et les chances que se trouve parmi eux un médecin ou une infirmière étaient ténues.

— L'un de vous possède-t-il des connaissances médicales ? interrogea Joshua à la ronde.

Nul ne répondit.

— Dans ce cas, veuillez vous éloigner, je vous prie. Un peu de discrétion pour cette jeune femme.

Les badauds se dispersèrent, et Anna regarda Joshua caresser la main de Julie. Il l'assura que tout irait bien, et que si le bébé s'avisait d'arriver en avance, il l'aiderait de son mieux.

— Savez-vous vous y prendre ? chuchota Anna à son oreille.

— Je devrais pouvoir me débrouiller. J'ai suivi des cours de secourisme pendant plusieurs années, et j'ai appris le minimum nécessaire.

Grâce à la trotteuse de sa montre il chronométra les intervalles séparant les contractions : deux minutes à peine.

— Anna, allez vite acheter des journaux dans les distributeurs, ordonna-t-il finalement. Ils sont relativement stériles, et nous serviront à envelopper le nourrisson.

Quand elle revint, il arborait un air confiant qui la rassura. Elle prit la main de Julie pour la réconforter. La jeune femme avait replié ses jambes, qui tremblaient spasmodiquement. Instinctivement Anna tira sur ses genoux et entreprit de lui masser les cuisses, calmant les secousses.

— Avez-vous suivi une préparation à l'accouchement ? questionna Joshua.

Julie hocha la tête.

— Mon mari me servait de moniteur.

— Anna le remplacera, déclara-t-il. Vous verrez, elle apprend vite. Anna, respirez avec elle, de sorte qu'elle vous entende. A un rythme lent et régulier.

Anna cessa de retenir son souffle, et suivit à la lettre les consignes de Joshua, inspirant et expirant bruyamment. Joshua les surveilla un moment, puis caressa les cheveux d'Anna et indiqua :

— Continuez comme cela. Je vais aller me laver les mains, et demander la trousse de secours au commandant.

Il revint bientôt, accompagné d'un membre de l'équi-

page qui entoura Julie d'un paravent. Elle hurla brusquement :

— Mon Dieu ! Je crois qu'il vient !

Au bout de quelques minutes, avec des gestes précis et
rapides, Joshua prit les ciseaux chirurgicaux et découpa
les sous-vêtements de Julie. Anna étouffa un cri en
voyant apparaître les cheveux noirs du bébé.

— Fantastique, non ? commenta doucement Joshua.

— Si, fit Anna, émerveillée. Mais que faisons maintenant ?

— Soulevez les épaules de Julie et encouragez-la.

Anna passa un bras sous le dos de la jeune femme, qui
se recroquevilla vers l'avant.

— Courage, souffla Anna. Tout se passe très bien…

Le visage baigné de sueur, Julie accomplit un suprême
effort. Joshua fit sortir le minuscule enfant, et murmura :

— Viens, petit. Une vie merveilleuse t'attend.

Des larmes de joie ruisselèrent sur les joues d'Anna.
Quelle façon magnifique d'accueillir un nouveau-né !
Dépouillé de sa bravade habituelle, Joshua manifestait
une incommensurable tendresse. Jamais, elle n'oublie-
rait son expression, tandis qu'il s'extasiait :

— C'est une fille ! Une nouvelle demoiselle vient
embellir le monde de sa présence.

Anna reposa Julie avec d'infinies précautions, et vint
prendre le nourrisson que lui tendit fièrement Joshua.
Elle l'enveloppa soigneusement de journaux, puis l'entoura de son imperméable, avant de l'apporter à la jeune
mère avec cependant une pointe de tristesse. Après avoir
participé ainsi à sa naissance, elle aurait voulu garder ce
bébé blotti contre elle.

— Quel nom avez-vous choisi ? s'enquit Joshua.

— Nous n'avions pas encore décidé, admit Julie,
encore haletante.

Inquiète, Anna la vit grimacer sous l'effet d'une nouvelle contraction.

— Elle semble encore en travail, chuchota-t-elle à Joshua.

— C'est sans doute le placenta, opina-t-il.

Julie releva la tête, et Anna revint la soutenir en position relevée. D'une voix tremblante, la jeune femme articula :

Je ne crois pas... C'est la première fois... mais j'ai l'impression...

Joshua sourit brusquement.

— Si le prochain est un garçon, vous pourriez les appeler Hansel et Gretel, suggéra-t-il en riant.

Des jumeaux ! Totalement désemparée, Anna se rappela avoir douté de l'aptitude de Joshua, à l'imprévu. En fait, il pliait sous le vent, tel un roseau; c'était elle qui craignait de se briser comme le chêne.

Le second nouveau-né vint au monde aussi facilement que le premier — un fils, en effet. Cette fois, Joshua donna sa chemise pour le couvrir.

Il se tint un peu à l'écart tandis qu'Anna s'asseyait auprès de Julie, le garçonnet dans les bras. L'amour maternel qui émanait de ces deux femmes le fit sourire. Mais si la mère en Anna faisait surface, lui-même sentait émerger son propre côté paternel. Cette nuit extraordinaire resterait à jamais gravée dans sa mémoire, comme le plus merveilleux des souvenirs. Par ces moments partagés Anna et lui resteraient profondément unis.

Quelques heures plus tard, exaltée mais épuisée, Anna laissa Joshua l'escorter jusqu'à sa porte. Ils avaient accompagné Julie et sa famille toute neuve à l'hôpital, où ils avaient insisté pour leur obtenir une chambre indépendante. C'était une prérogative des parrains, expliqua-t-il, que d'exiger le meilleur pour leurs protégés.

— Merci de cette soirée peu banale, plaisanta Anna en cherchant ses clés.

— Ce fut magnifique, déclara-t-il en effleurant son cou du bout des lèvres. Comme j'ai hâte de voir naître ainsi mes propres enfants !

A ces mots, elle eut un mouvement de recul. Elle avait projeté de l'inviter à entrer, mais se ravisa : qu'avait-elle à offrir à cet homme qui visiblement rêvait de paternité ?

— J'avais pensé vous proposer un verre, mais la nuit a été longue et je suis exténuée, prétexta-t-elle.

Les traits de Joshua se durcirent et il se redressa.

— Un jour, Miss Tempête, je finirai bien par découvrir ce qui vous fait osciller ainsi d'un extrême à l'autre. Nous avons été si proches, ce soir. N'était-ce pas fabuleux ?

— Bien sûr que si, murmura-t-elle. Je m'en souviendrai toujours.

— Les moments impérissables ont-ils toujours sur vous des effets aussi étranges ?

— C'est compliqué...

— Mais non. C'est vous qui compliquez tout.

Il tourna les talons, et Anna lança :

— Appelez-moi cette semaine, ou bien je le ferai moi-même.

— Evidemment j'appellerai, fit-il en se retournant. Vous m'exaspérez peut-être, mais je sais ce que je veux.

Il s'éloigna ensuite à grandes enjambées, et pour la deuxième fois depuis qu'elle le connaissait, Anna se retrouva seule chez elle. Mais ce soir elle était sûre de le revoir, et en éprouvait une joie mêlée d'inquiétude.

7

ANNA réintégra ses quartiers avec soulagement, en attendant que le jury énonce son verdict. La semaine avait été longue et chargée, lui autorisant peu de loisirs pour réfléchir à sa soudaine promotion de la cour municipale à la cour supérieure.

Elle ôta ses escarpins bleu marine et s'enfonça confortablement dans son fauteuil. Miriam lui avait préparé du thé à la mangue, dont l'arôme subtil lui procura un plaisir relaxant. Elle en but quelques gorgées, en laissant vagabonder ses pensées.

Aussitôt lui revinrent à l'esprit les images du dernier week-end. Elle s'était réveillée samedi dans un état d'agitation indescriptible. Joshua s'était révélé un être merveilleux. Elle tenait à lui, et pourtant ne pouvait lui donner de vraie place dans sa vie. Elle le voulait, mais ne pouvait l'avoir. Elle souhaitait tout à la fois l'appeler sans perdre une minute pour le voir, et prendre ses distances.

Excédée par ces oscillations, elle décida d'aller chercher Niki. Il la suppliait depuis des semaines de l'emmener au zoo, et puisque le soleil brillait, une telle sortie la distrairait.

Comme tous les samedis matin, le marché couvert était bondé. Les couleurs vives des fruits dans les étals, la senteur du pain frais et des gâteaux du pâtissier, les cris des poissoniers, ramenèrent Anna à l'univers bruyant de son enfance, si différent de son monde professionnel, calme et ordonné. Elle aperçut la tête brune de Niki, dominant la foule. Il déchargeait placidement un camion de cageots de légumes.

— Nikolaï ! héla-t-elle. Viens embrasser ta petite sœur.

Quand il la vit, un large sourire éclaira son visage franc. Il s'élança droit vers elle, sans égards pour les obstacles qui les séparaient.

— Bonjour Anna ! s'écria-t-il en l'étreignant avec effusion. Que fais-tu ici ?

— Je cherchais quelqu'un pour m'accompagner au zoo, déclara-t-elle d'un air dégagé, dans le petit jeu qu'elle jouait souvent avec son frère. Connaîtrais -tu un bel homme qui soit libre aujourd'hui, par hasard ?

— Est-ce que je suis assez beau pour toi, Anna ?

— Toi ? Je croyais que tu avais horreur du zoo.

La mine perplexe de Niki s'effaça lorsqu'il comprit.

— Ah, arrête de me taquiner, Anna. Tu m'emmènes chaque fois, rappelle-toi.

— Peux-tu te libérer ?

— Je n'ai plus que ce chargement à terminer.

— Parfait. Je te laisse finir. Retrouve-moi à la boutique, je vais voir *mama* et *papa*.

— Mama n'y est pas, annonça Niki. Elle prend son petit déjeuner chez Giorgio.

Anna imagina sa mère attablée dans le salon de thé du boulanger, savourant une des succulentes pâtisseries de Giorgio. Chaque matin, elle et son mari se rendaient ainsi à tour de rôle chez leur vieil ami.

— Alors je t'attendrai là-bas, Niki.

— Entendu, Anna. Je me dépêche.

La jeune femme se fraya un chemin dans la cohue, et bientôt reconnut Mme Provoloski à une des tables de la terrasse. Ses cheveux gris étaient comme toujours remontés sous un fichu rouge, et un tablier bleu dissimulait sa robe.

Anna s'approcha par-derrière et posa ses mains sur ses yeux, en chuchotant à son oreille :

— Devine qui est là ?

— Aucune idée, répliqua *mama*. J'ai bien une fille, quelque part dans cette ville, mais elle me rend si rarement visite que j'ai oublié le son de sa voix.

— Tu exagères, protesta Anna. Je suis venue la semaine dernière.

— Eh bien, assieds-toi, ordonna *mama*. Comment vas-tu ?

—Très bien. Niki et moi allons au zoo...

Deux coups frappés à la porte la ramenèrent à la réalité et à son bureau, ce vendredi après-midi.

— Entrez ! fit-elle.

Son greffier lui apporta un feuillet plié.

— Une question du jury, précisa-t-il.

Elle lut rapidement le texte, puis écrivit une réponse et rendit le papier à John. Pendant que les jurés délibéraient, elle était en effet tenue de rester à leur disposition afin de les conseiller en cas de nécessité.

De nouveau seule, elle se remémora sa brève conversation avec sa mère, vite interrompue par Niki.

— J'ai fini, Anna ! s'exclama-t-il en les rejoignant.

Dans son enthousiasme il l'avait saisie à bras-le-corps et mise debout.

— J'arrive, Dynamite. *Mama*, je garderai Niki chez moi ce soir, je te le ramène demain matin.

Mme Provoloski s'était levée pour embrasser sa fille.

4

En tenant son menton du bout de ses doigts, elle l'avait regardée droit dans les yeux.

— Tu passes trop de temps avec ton frère, avait-elle remarqué. Pourquoi ne sors-tu pas le samedi soir avec quelqu'un de gentil ? Pourquoi toujours Niki ?

— Parce qu'elle m'aime bien, était-il intervenu.

— Niki a raison, *mama*, avait renchéri Anna. Et il fait trop beau pour nous quereller encore à ce sujet. A demain !

Sans laisser le temps à sa mère de repasser à l'offensive, elle prit la main de Niki et s'éloigna avec lui. Quand elle se retourna, elle vit Mme Provoloski, les poings enfoncés dans les poches de son tablier, qui secouait la tête avec réprobation.

Les événements qui suivirent étaient si familiers qu'Anna aurait pu les décrire à l'avance. Quand l'autobus s'engagea dans le long tunnel de Battery Street, elle entendit Niki prendre une grande inspiration; il allait comme d'habitude essayer de retenir son souffle jusqu'à la sortie. Il échouait immanquablement, mais s'acharnait chaque fois. D'autres passagers le dévisagèrent tandis que son visage passait au rouge brique. Il expira bruyamment peu avant qu'ils émergent au soleil.

— J'aurais pu réussir, bougonna-t-il. Vous conduisez trop lentement ! lança-t-il au chauffeur.

— Nikolaï, chut ! l'admonesta sa sœur. Encore un éclat de ce genre et nous rentrons à la maison.

Le grand jeune homme se recroquevilla sur son siège.

— Plus un mot, promit-il. Je serai sage.

Quand ils atteignirent l'entrée du parc zoologique, ses yeux brillaient d'une excitation qu'il avait peine à contenir. Pendant qu'Anna payait les billets, il partit en courant gauchement vers les éléphants. Elle le contempla en soupirant, tandis qu'il observait les paisibles pachydermes. Il était si beau ! Souvent les femmes lui jetaient des œillades admiratives, voire flirtaient avec lui. Anna sourit en se rappelant le désarroi d'une adorable petite brune, lors de leur dernière sortie. Elle était visiblement sous le charme, jusqu'au moment où elle l'avait entendu s'exclamer :

— J'en ai assez Anna, on rentre ! Tu joueras aux petits chevaux avec moi ?

Les promenades avec lui au zoo ou à l'aquarium étaient un tel repos, par rapport à son travail éprouvant ! L'innocence de Niki, sa bonne humeur balayaient tous les soucis. Loin de s'ennuyer, elle trouvait rafraîchissante la monotonie de leurs loisirs partagés.

Anna frissonna, et jugea un peu fraîche la température de son bureau. Elle tourna légèrement la poignée du radiateur, et pria Miriam de lui préparer encore du thé.

Puis elle reprit le cours de ses réflexions. Aussi plaisante que fût la compagnie de Niki, à l'évidence elle laissait un vide dans sa vie. Parfois, après quelques heures passées avec lui, un poignant sentiment de désespoir l'étreignait.

Cela avait été le cas samedi dernier. Tout s'était bien passé jusqu'au moment où, sur le chemin du retour, ils s'étaient arrêtés pour acheter des sandwiches et deux cartons de lait. Pendant qu'ils mangeaient en marchant, une bande de voyous avait rudement apostrophé Anna, lui adressant des sifflets et des remarques obscènes. Elle fit mine de les ignorer, mais devant la passivité de son compagnon ils s'en prirent à lui.

— Et alors, gros bêta ? jeta l'un deux. On ne défend pas la dame ?

Devinant en lui une proie vulnérable, ils se déchaînèrent l'un après l'autre, et pour finir acculèrent Niki contre un mur. Un premier lui arracha sa nourriture, un autre se mit à le gifler.

Anna tenta de s'interposer, mais fut repoussée sans ménagement. Elle appela à l'aide, tandis qu'un coup de poing atteignait Niki dans l'abdomen.

Brusquement elle hurla pour une autre raison : son frère au naturel si doux avait saisi deux des brutes au collet, et les secouait à une bonne vingtaine de centimètres au-dessus du sol. Il risquait de les blesser sérieusement.

— Lâche-les, Niki ! ordonna Anna. Lâche-les tout de suite !

La rage qui brûlait en lui se dissipa et il laissa tomber ses assaillants. Après s'être affaissés comme des poupées de chiffon, ils se relevèrent et décampèrent sans demander leur reste.

— Ils m'ont fait mal, Anna, expliqua Niki tout penaud. Pardonne-moi, mais j'ai eu peur, ils m'ont fait mal.

— Je sais, mon chou, le consola-t-elle.

Elle dut encore le rassurer et le réconforter tout le week-end durant. Quel homme accepterait de vivre avec un tel fardeau ? se demandait-elle...

— Juge Provo ? l'appela John. Encore une question du jury.

Anna revint brutalement au présent et lut le message.

— Comment se passe la délibération ? s'enquit-elle.

— Ce sont des gens consciencieux, commenta-t-il. Ils risquent de mettre longtemps à prendre une décision.

Anna vérifia les preuves inscrites dans son dossier, et écrivit sa réponse. Le greffier avait raison, ces jurés ne prenaient pas leurs responsabilités à la légère.

Laissée de nouveau à elle-même, elle se remémora son arrivée au palais, lundi matin. Après sa course matinale èlle était entrée dans le bureau de Miriam, qui s'était immédiatement écriée :

— Anna ! Vous devez rappeler de toute urgence le juge Walker. Il a téléphoné il y a une dizaine de minutes.

— Que se passe-t-il ?

— Je l'ignore, mais cela semble important.

Anna n'avait jamais encore été contactée par Ben Walker, et sa gorge se noua d'appréhension. Pour le mois de mai, c'était lui qui assignait les affaires aux différentes cours, et supervisait la bonne marche du système judiciaire du comté. Avait-elle commis une erreur qui lui vaudrait un blâme ?

— Ici le juge Provo, annonça-t-elle dans l'appareil.

— Bonjour, Anna. Ici Ben Walker. Navré de vous déranger aussi tôt, mais j'ai besoin de vous rencontrer. Pouvez-vous venir d'ici une demi-heure ?

— Bien sûr, Ben. Mais de quoi s'agit-il ?

— Je préfère vous en parler de vive voix. A tout de suite.

Anna passa sous la douche, en proie à une sourde angoisse. Les plus hautes instances réprouvaient-elles une des sentences ? Fébrilement elle passa en revue ses derniers jugements, sans trouver la faille.

Elle s'habilla en un temps record, et s'arrêta auprès de Miriam avant de gagner les ascenseurs :

— Je ne sais pas quand je reviendrai. Dites au greffier d'informer le conseil que je serai retardée.

La secrétaire de Ben Walker la reconnut sans qu'elle ait à se présenter.

— Bonjour, juge Provo, lança-t-elle. Le juge Walker vous attend. Veuillez entrer.

Surmontant son inquiétude, Anna frappa à la porte et pénétra dans le bureau de son distingué collègue. Il lui tournait le dos, absorbé dans une conversation téléphonique. Il fit pivoter son siège pour lui adresser un signe de tête, et conclut :

— Bonne idée, Margaret. Elle vient justement d'arriver. Je vous rappellerai tout à l'heure.

Il se leva et vint serrer la main d'Anna.

— Asseyez-vous, je vous en prie. Je m'entretenais à l'instant avec l'administration des tribunaux. Nous discutions une sérieuse difficulté qui nous est posée : la nuit dernière, Joe Elliot a subi un infarctus du myocarde. Il ne pourra reprendre ses fonctions avant une date indéterminée, ce qui laisse un vide dans les cours de justice supérieures. Accepteriez-vous de le combler ?

Anna dut retenir un cri de joie. Non que les graves ennuis de santé du juge Elliot lui fussent sujet à réjouissance, mais elle était si soulagée de n'être pas en faute ! Luttant pour se dominer, elle se laissa tomber sur le siège désigné et répéta :

— Juge de cour supérieure ? *Moi* ?

— Oui, vous. Si nous ne vous croyions pas qualifiée, nous ne vous le proposerions pas. Cela vous intéresse-t-il ?

— Naturellement ! Pardonnez mon trouble, mais je m'attendais à une réprimande en venant ici. Aussi suis-je déconcertée par l'honneur que vous me faites.

— Vous réprimander ? Seigneur, non ! La qualité de votre travail est connue de tous, Anna. C'est par une décision unanime du comité exécutif que vous avez été pressentie pour remplacer notre collègue. Votre sourire équivaut-il à un oui ?

Une telle chance lui paraissait inouïe. Mais était-elle capable d'assumer cette charge ? Après quelques instants de doute, elle se ressaisit : le travail d'un juge était le même dans les cours supérieures et municipales. C'est simplement le type d'affaires à juger qui allait changer.

— J'accepte, Ben, déclara-t-elle. Et avec gratitude. Quand dois-je commencer ?

Après une heure d'entretien, ils avaient passé en revue les cas à traiter, et convoqué un juge qui remplacerait Anna dans l'intérim. Les mesures prises étaient, par la force des choses, un peu hâtives, mais satisfaisantes. Face à ce nouveau défi, Anna avait encore une fois fait ses preuves.

La semaine avait été éprouvante, car les règles de l'audience étaient différentes, et les recherches de précédents plus approfondies. En outre la juridiction d'Anna s'était étendue, et elle traitait à présent des cas provenant de tout le comté, en plus des jugements en appel des cours municipales. Si elle n'évoluait pas encore avec aisance dans ses nouvelles fonctions, cependant, elle les remplissait de façon irréprochable.

Elle avait dû s'établir dans de nouveaux quartiers, mais par bonheur, on l'avait autorisée à conserver ses précieux collaborateurs. Sans le fidèle soutien de John, son greffier, et de Miriam, la transition eût été nettement plus difficile.

Distraite, elle tourna les pages de son calendrier de bureau. Elle avait à peine vu passer les jours, jusqu'à ce répit offert par une délibération prolongée. Le téléphone sonna.

— M. Brandon est en ligne, annonça Miriam. Souhaitez-vous lui parler ?

— Faites-le patienter quelques instants.

Ses activités fébriles lui avaient servi de prétexte pour ne pas répondre aux messages qu'il avait laissés. En butte à des sentiments ambivalents, elle hésita longuement avant de presser le bouton de liaison avec l'extérieur.

— Bonjour, Joshua, déclara-t-elle alors.

— Vous êtes donc toujours en vie, répliqua-t-il d'un ton désinvolte. Je lis quotidiennement la rubrique des décès dans le journal, pour m'assurer que mes efforts pour vous joindre ne sont pas vains.

— Pardonnez-moi de vous avoir négligé.

— Nombre d'hommes moins obstinés que moi auraient renoncé à la troisième tentative infructueuse. Mais je me félicite de mon entêtement, puisque je vous parle enfin. Etes-vous libre pour dîner, ce soir ?

— Ce serait avec plaisir, mais j'attends les conclusions de mes jurés. J'ignore pour combien de temps ils en ont encore.

— Et si nous ne fixions pas d'heure ? Vous pourriez simplement passer chez moi lorsque vous aurez terminé.

— Ce doit être possible. Quelle est votre adresse ?

— J'habite une maison-bateau sur le lac Union. Au numéro quarante-trois. Vous devriez trouver sans peine.

— Cela ne vous dérange pas de m'attendre, vous êtes sûr ?

— Ce sera un plaisir. A plus tard !

Au fur et à mesure que s'étiraient les heures, Anna sentit s'étioler sa patience. Elle avait encore répondu à plusieurs questions écrites du jury, mais aucune décision n'avait été prise. Tout en arpentant nerveusement la moquette bordeaux, elle imaginait Joshua tranquillement installé chez lui. Mais le cadre dans lequel il évoluait lui était inconnu.

Elle s'apprêtait à lui téléphoner pour annuler leur rendez-vous quand enfin John frappa.

— Les jurés sont revenus, annonça-t-il.

— Parfait ! Finissons-en le plus vite possible, la journée a été longue pour tout le monde.

Le procès s'acheva en quelques minutes, car le verdict était non coupable.

Pendant qu'elle fermait sa porte à clé, Anna aperçut Tom qui entrait dans un ascenseur.

— Retiens-le, Tom ! J'arrive, héla-t-elle.

Elle lui sourit en le rejoignant dans la cabine.

— Merci, fit-elle. Comment vas-tu ?

— Très bien. Je te félicite de ta promotion.

— Encore merci. Que fais-tu ici si tard, une veille de week-end ?

— Je devais assister à la déposition d'un de nos témoins-clés. Cela a traîné en longueur, et le sténotypiste était arrivé en retard. Et toi, où vas-tu de ce pas pressé ?

— Dîner chez un ami.

— Bravo ! Je t'accompagne à ta voiture.

— Impossible, Elizabeth est en réparation. Je vais prendre un taxi.

— Pas question, je te dépose.

Elle voulut protester, mais il balaya ses objections et elle finit pas acquiescer.

Quand elle lui eut indiqué le chemin, il s'étonna :

— Qui connais-tu qui habite sur le lac ?

— Joshua Brandon.

— Qu'ouïs-je ? s'écria-t-il, enchanté. Joshua Brandon ? Je le savais, vous êtes faits pour vous entendre !

— Du calme, Tom, fit-elle en riant, il s'agit seulement d'un souper.

— J'ai hâte de raconter cela à Sue, jubila-t-il.

— Si tu fais cela, je lui dirai que c'est moi qui choisis ses cadeaux d'anniversaire.

Tom haussa les épaules, goguenard.

— Euh, Tom, tu viens de dépasser son numéro.

Après avoir effectué un demi-tour, il la déposa. Elle lui adressa un signe de la main tandis qu'il s'éloignait. Puis une pimpante Volkswagen jaune citron, garée près de l'auto de Joshua, attira son regard. Serait-ce la sienne, déjà ? Elle s'approcha, et vit une faveur rouge attachée au volant. Sur une pancarte posée sur le tableau de bord était écrit en lettres majuscules : « BIENVENUE, ELIZABETH ! »

Emerveillée, Anna contourna la voiture pour mieux l'inspecter. Martin avait tenu parole; Elizabeth était comme neuve, mieux que neuve. Elle tapota affectueusement le capot, en murmurant :

— Tu vas faire verdir d'envie toutes tes semblables, ma belle.

La bonne humeur d'Anna s'atténua lorsqu'elle se tourna vers le bolide bleu acier de Joshua. Leurs véhicules reflétaient les différences de leurs propriétaires. Lui, un jaguar, un fauve racé et redoutable. Elle une Coccinelle, ombrageuse et craintive...

8

PERDUE dans ses réflexions, Anna n'entendit pas le bruit de pas qui s'approchait d'elle.

— Qu'en pensez-vous ?

Elle reconnut la voix de Martin et pivota pour lui faire face.

— Elle est magnifique, déclara Anna avec une sincère émotion. Merci, Martin, vous avez opéré des miracles.

— C'est Josh qui a eu l'idée du ruban, précisa-t-il.

— Mais comment avez-vous pu terminer aussi vite ?

— J'ai retroussé mes manches et je me suis mis au travail, expliqua-t-il en toute modestie.

— Je ne sais que vous dire…

— Alors ne dites rien. Vous m'avez remercié, cela suffit. Nous parlons souvent trop, les uns et les autres.

Elle s'approcha de lui et, spontanément, l'embrassa sur la joue. Timide, Martin lui sourit puis s'en alla, sans dire au revoir, comme la première fois.

Anna s'avança sur le ponton, mais deux habitations correspondaient au numéro quarante-trois : l'une, une imposante maison-bateau illuminée, d'où s'échappaient des accords de musique douce; l'autre, un vieux cottage transféré sur un vaste radeau. Elle allait choisir l'embarcation la plus luxueuse, quand son intuition la poussa à essayer d'abord l'ancienne.

— Je suis heureux que vous ayez bien deviné, Anna.

Elle sursauta, surprise par cette voix qui sortait des ténèbres.

— Où êtes-vous ? demanda-t-elle.

— Devant vous. Continuez tout droit.

Après quelques pas, elle discerna sa haute silhouette dans l'ombre qui baignait sa modeste demeure.

— J'étais en train de humer l'air nocturne quand je vous ai aperçue sur le quai. Etes-vous étonnée que je n'habite pas à côté ?

Elle était surtout soulagée, car l'opulence du navire voisin lui eût pesé.

— Non, répliqua-t-elle. Vous êtes un homme de contrastes. De votre part plus rien ne m'étonne.

— Nous voilà à égalité, la taquina-t-il. Car vous-même êtes un vivant paradoxe.

Il prit la main de la jeune femme pour la guider vers les deux fauteuils en rotin entourés de planches, d'outils, et de pots de peinture. Elle s'assit, mais Joshua resta debout, adossé à la rampe du pont. Il portait un jean taillé en bermuda et la lune argentée éclairait ses mollets musclés et hâlés.

— Etes-vous contente de votre Volkswagen ?

— Enchantée. J'en ai félicité Martin quand nous nous sommes rencontrés devant chez vous.

— Il devait passer la soirée en ville, et en a profité pour amener Elizabeth. Si vous aviez refusé mon invitation à dîner, j'allais me livrer à un vil chantage : si vous voulez revoir votre voiture, venez chez moi.

La complicité des deux hommes la fit sourire.

— Tant d'efforts pour attirer une simple amie dans

votre repaire ! plaisanta-t-elle. Vos intentions sont-elles bien honnêtes, au moins ?

Elle comprit brusquement que le contrôle de la situation lui échappait. Joshua s'était incliné vers elle et prit son visage entre ses mains.

— Mes désirs, en tout cas, ne le sont pas, chuchota-t-il. Mais ne vous inquiétez pas, je respecterai notre accord.

Fascinée, elle scruta ses yeux d'un bleu si profond. Son regard l'hypnotisait, et sans réfléchir elle se leva et noua ses bras autour de lui.

— Du calme, souffla-t-il en massant le dos tendu de la jeune femme.

Il la sentit se décontracter peu à peu, renoncer à cette attitude rigide qu'elle adoptait habituellement. Jamais auparavant elle ne s'était abandonnée ainsi, et il prenait garde à ne pas l'effrayer par un geste brusque. Il avait trop attendu un tel moment.

Le bruit lointain de la circulation s'était atténué, et l'on n'entendait plus que les vaguelettes clapotant contre le fond du bateau. Joshua osa enfin encercler la taille étroite d'Anna.

— Dansez avec moi, murmura-t-il. Cette fois je vous garantis qu'il n'y aura pas de spectateurs.

Ils se mirent à évoluer lentement au son de la musique provenant d'un restaurant perché sur la rive occidentale du lac Union. Joshua chantonnait doucement, et Anna se laissa attirer plus près de lui, son corps en parfaite harmonie avec le sien.

Tandis qu'ils valsaient dans l'obscurité, les premières étoiles s'allumèrent au firmament, et le concert des animaux nocturnes s'éleva autour d'eux. Le coassement grave d'un crapaud rompit la magie de l'instant. Anna frissonna.

— Il commence à faire froid, remarqua Joshua. Entrons, je vais vous servir à boire.

Il frôla son front du bout des lèvres et, laissant une main sur la cambrure de ses reins, la conduisit à l'intérieur.

Le salon exigu ne comportait que quelques meubles. Sous la baie vitrée se tenait un confortable canapé en cuir jonché de coussins moelleux. Anna s'y enfonça en exhalant un soupir de fatigue, pendant que Joshua remplissait de bordeaux blanc deux gobelets en cristal.

Il lui tendit son verre et leurs doigts s'effleurèrent. Impulsivement elle le retint par le poignet, l'invitant tacitement à s'asseoir. Dans la douce lumière qui filtrait à travers la fenêtre, tout semblait possible, et Anna perdait la réticence qui l'avait paralysée lors de leurs précédentes rencontres.

Avec une aisance naturelle il prit place auprès d'elle et passa un bras autour de ses épaules, tandis qu'ils s'enfonçaient tous deux dans le sofa. Ils n'avaient pas besoin de mots pour meubler le confortable silence qu'ils partageaient. Anna appuya sa tête contre lui, qui caressait doucement, comme distraitement, le lobe soyeux de son oreille. Enfin d'un commun accord ils se penchèrent en avant pour poser leurs boissons sur la caisse retournée qui faisait office de table basse.

N'y tenant plus, Joshua sema une pluie de baisers sur les pommettes veloutées d'Anna, avant d'oser rencontrer ses lèvres entrouvertes. Peu à peu son contact se fit plus exigeant, et Anna laissa échapper un petit gémissement. Continuant de l'étreindre avec ferveur, il se mit à l'embrasser dans le cou et elle, enivrée, se laissa aller en arrière. Sur le satin de sa gorge la moustache de Joshua la tourmentait délicieusement, provoquant un délicieux frisson.

Au moment où cette volupté devenait presque insupportable, il revint s'emparer de sa bouche, cette fois avec une impérieuse passion. Elle l'enlaça de toutes ses forces et le tira sur elle tout en s'allongeant sur le sofa. Il avait de plus en plus de peine à se maîtriser, et inspira profondément lorsqu'elle tira sur sa chemise pour la sortir du bermuda. Elle insinua ses mains sous le coton et massa sensuellement les muscles de son dos, lui arrachant des soupirs de plaisir. Encouragée par sa réaction, elle s'arqua contre lui tandis qu'il entreprenait de déboutonner son corsage de soie.

Le cuir du canapé était comme une caresse sur sa peau. Avec une impatience à peine dissimulée elle observa Joshua qui se mettait à son tour torse nu. Le clair de lune dessinait sa musculature d'athlète, trahissant sa respiration saccadée. Mais sous le regard brûlant qu'il lui renvoya, elle eut brusquement honte et voulut se relever. Tendrement il s'appuya sur ses épaules pour la recoucher.

— Ne bouge pas, supplia-t-il dans un murmure. Laisse-moi t'admirer. Tu es superbe...

Puis, lentement, il s'inclina pour promener sur elle ses lèvres enfiévrées. Il la dépouilla avec délicatesse de son soutien-gorge, et effleura la pointe de ses seins.

Enfin il la souleva entre ses bras puissants et l'emporta dans la chambre. Après l'avoir déposée avec douceur sur le lit, au lieu de la rejoindre il s'assit et défit la fermeture de sa jupe pour la passer sur ses hanches minces. Puis, sans hâte, il acheva de la dévêtir. Totalement révélée à lui, elle se soumit à sa contemplation, habillée seulement d'un rayon de lune argenté.

Avec la même nonchalance, il ôta ses propres vêtements, et elle put découvrir la perfection de son corps vigoureux. Il vint s'étendre au-dessus d'elle, pesant sur ses avant-bras, et la fine toison recouvrant sa poitrine effleura le buste d'Anna, qui frissonna. Elle le serra contre elle, et il l'embrassa avec une passion véhémente, incapable à présent de brider le désir qui le consumait. Ils se fondirent l'un à l'autre et, en proie à la même ardeur, atteignirent finalement un paroxysme de volupté qui fit exploser leurs sens en un prisme radieux.

— Joshua ! gémit Anna, pour qui une telle extase était totalement nouvelle.

Pendant qu'ils reprenaient lentement conscience de la réalité, il caressa sa flamboyante chevelure en des gestes apaisants. Quelques minutes durant aucun des deux n'eut envie de parler. Puis Joshua rompit le silence :

— Si c'est cela l'amitié, je préfère ne pas connaître l'amour, chuchota-t-il en déposant un baiser sur sa joue.

Leur accord antérieur parut si absurde à Anna, qu'elle sourit.

— Il n'est pas incompatible d'être amis et amants, souligna-t-elle pourtant.

Tout en traçant sur son torse des arabesques sensuelles, elle remarqua la chaîne en or qu'il portait autour du cou, ornée d'un pendentif en forme de sextant.

— Quel bijou original, commenta-t-elle. Un cadeau ?

— Oui. Mon grand-père me l'a offert quand j'ai quitté l'entreprise pour m'établir ici. Il savait que j'avais acheté un voilier, et affirmait qu'un vagabond tel que moi aurait besoin d'un talisman.

— Et il t'a porté bonheur ?

— Le jury n'a pas encore prononcé son verdict, répliqua-t-il en ébouriffant ses cheveux. T'ai-je déjà dit que tu es très belle ?.

— Oui, rétorqua-t-elle, pendant que son estomac émettait un discret gargouillis. Entends-tu cela ? Ton invitée n'a pas été nourrie, elle proteste.

— Le chef-cuisinier avait besoin d'encouragements...

Après l'avoir gratifiée d'un dernier baiser il se leva et enfila un jean délavé et un vieux sweat-shirt. Pendant qu'Anna le contemplait, un dicton russe cité parfois par ses parents lui revint à l'esprit : « Le diable s'habille toujours à la dernière mode ». Eh bien, la beauté du diable se passait très bien de vêtements chics, décida-t-elle.

Elle s'attarda un moment dans le lit, se prélassant sous la couette tandis que lui parvenaient de la cuisine d'agréables bruits de casseroles. Quand elle eut trop de remords de le laisser s'activer seul, elle quitta à regret ce doux cocon.

Joshua revint au moment où elle allait se rhabiller, et lui tendit un kimono en éponge marine.

— Mets plutôt ceci, conseilla-t-il. J'ai préparé des palourdes au beurre, la sauce pourrait tacher ton corsage.

Il vint passer le peignoir sur ses épaules et en sortit sa lourde chevelure. Docile, elle noua la ceinture et le suivit au salon.

Sur la table basse improvisée, recouverte d'une nappe en lin ivoire, étaient soigneusement disposés des couverts en argent massif autour de deux assiettes de salade aux crevettes et aux cœurs d'artichauts. Cet étonnant contraste de raffinement et de simplicité émut Anna; à l'évidence, Joshua s'était donné du mal pour ce souper. Le bouton de rose placé sur sa serviette immaculée symbolisait l'esprit un peu magique de cette soirée.

— Merci, murmura-t-elle en humant le parfum de la fleur minuscule.

— Heureux que cela te plaise, répliqua-t-il d'un air ravi. Bon appétit !

Quand il eurent dégusté l'entrée, il apporta un plat

chargé de petites palourdes fumantes, et deux bols de beurre fondu.

— J'espère que tu aimes les fruits de mer, déclara-t-il. J'ai aussi du pain Forçat. En veux-tu ?

— Avec plaisir, acquiesça-t-elle. Tu as vite déniché cette boulangerie. Qu'en penses-tu ?

— Je trouve intelligent de donner aux détenus de la prison une tâche utile à accomplir. Outre qu'ils acquièrent ainsi une excellente formation professionnelle, leurs produits sont délicieux.

Il beurra une épaisse tartine et la tendit à Anna.

— Et le jus de cuisson ? Nous n'allons pas le laisser perdre, tout de même ?

— Je n'ose y toucher, rit-il. Et si le panonceau de chez Ivar disait vrai ?

Dans ce restaurant du port, un avis placardé au mur avertissait les clients qu'il ne serait servi à aucun homme plus d'une tasse de nectar de palourdes sans la permission expresse de son épouse. En effet ce bouillon était réputé traditionnellement posséder des vertus aphrodisiaques.

— Soyons courageux et essayons, le taquina-t-elle.

Joshua l'enveloppa d'un regard tendre.

— Je rejette toute responsabilité quant aux conséquences, souligna-t-il.

Quand ils se furent régalés de coquillages et de nectar, ils repoussèrent leurs assiettes avec des soupirs de contentement.

— Compliments, commenta Anna. Tu es un excellent cordon bleu.

Il sourit d'un air satisfait, et emporta les plats vides dans la cuisine. Ensemble ils nettoyèrent rapidement la vaisselle, puis Joshua remplit deux chopes de café. De retour au salon, ils entreprirent de se raconter la semaine écoulée.

— Pourquoi ne m'as-tu pas rappelé ? interrogea Joshua. Essayais-tu de m'éviter ?

Avec une pointe de remords, Anna se rendit compte qu'il avait bien interprété son silence. Mais à présent, elle ne souhaitait plus du tout l'éviter.

— Non, mentit-elle. J'étais réellement très occupée.

— Plus que d'habitude ? s'étonna-t-il, sceptique.

— Bien sûr, avec mon nouveau poste.

— Quel nouveau poste ?

— Tu l'ignorais ? Sache que tu t'adresses à un juge de cour supérieure.

Il la questionna longuement, et elle lança finalement :

— Peux-tu croire maintenant que j'étais débordée ?

— Mmoui… Mais dorénavant nous ne devrons plus être trop pris pour nous voir.

— Vraiment ?

— Bien sûr, puisque par décision unanime nos relations ont changé.

— Ah, nous avons décidé cela ?

— Moi, en tout cas, affirma-t-il en souriant.

Elle voulut protester, en invoquant leurs obligations à chacun, mais le regard déterminé de Joshua la fit taire. Il se pencha et déroba sur ses lèvres un voluptueux baiser. Quand il s'écarta, elle fut désorientée de se trouver déjà abandonnée; elle comprit qu'elle éprouvait un désir égal au sien, et hocha finalement la tête en un muet consentement.

— Voilà qui est réglé, décréta-t-il d'un ton autoritaire. Je propose que nous buvions un toast à ta promotion. Cognac ?

— Avec joie.

— Je garde justement une bouteille de Courvoisier pour les grandes occasions. Je reviens tout de suite.

Pendant les quelques minutes que dura son absence,

Anna tenta d'analyser la situation. A n'en pas douter, elle perdait le contrôle des événements. Mais le souvenir vibrant de leur passion partagée balayait toute raison, emportait ses doutes. Pour cette nuit, du moins...

A l'entrée de la pièce, Joshua s'arrêta pour contempler le ravissant tableau qu'offrait Anna, étendue sur le sofa avec ses épais cheveux étalés autour d'elle en une gerbe cuivrée. Au lieu de son habituelle expression réservée, elle arborait un air tranquille et heureux qui émut profondément le jeune homme. Au début il avait souhaité faire sa conquête; à présent il désirait la chérir - ce qui engageait plus sérieusement ses responsabilités.

— Ne t'endors pas déjà, souffla-t-il doucement en se glissant auprès d'elle. Je ne sais pas encore tout de tes nouvelles fonctions.

Elle se força à ouvrir ses paupières si lourdes et prit une gorgée d'alcool ambré.

— Assez parlé de moi, rétorqua-t-elle. Dis-moi plutôt comment s'est passée ta semaine.

— Voyons... On m'a chargé d'une affaire scabreuse. Un cas de violence conjugale, et j'ai beaucoup de mal à échafauder une défense pour cet individu. Il m'a avoué sa culpabilité, mais la nie officiellement. J'ai beau me répéter que chacun est en droit d'être défendu, je n'ai pas une once de sympathie pour mon client. Je regrette d'avoir à le représenter.

— Je comprends, compatit-elle. Je suis parfois confrontée au même problème. Le mieux que je puisse faire est de m'efforcer à une attitude objective. Si tu oublies les aveux de cet homme, tu pourras supposer qu'il est peut-être innocent. Cela te faciliterait-il la tâche ?

— J'essaierai, soupira-t-il. Mais oublions le travail, veux-tu ?

— Tu n'as que de bonnes idées, ce soir.

— A propos d'idées, le quarantième anniversaire de mariage de mes parents approche. Je ne trouvais rien à leur offrir, car ils ont tout ce que l'on peut désirer. Mais ton étui à lunettes m'a inspiré. Crois-tu que ton père pourrait fabriquer pour eux un objet d'art en écorce de bouleau ?

— Je suis sûre que *papa* te fera cela avec plaisir. Nous pourrions aller demain à la boutique ?

— Magnifique ! Et je ferai la connaissance de ton frère.

— Désolée, mais Niki ne sera pas là. Il passe le week-end à Fort Lewis, pour les « olympiades spéciales ».

— C'est-à-dire ?

— Il s'agit de compétitions réservées aux handicapés. Les soldats partagent leurs locaux pendant quelques jours avec eux. Niki adore cela, il s'y prépare pendant tout le printemps.

— Combien y a-t-il de participants ? s'enquit Joshua, curieux.

— Oh, environ deux ou trois mille. Ils viennent des quatre coins de l'état. On organise des promenades en montgolfière, et toutes sortes d'autres jeux. L'armée expose même des tanks et des hélicoptères que les handi-capés peuvent inspecter.

— Je vais regretter de ne pas le voir, mais cela à l'air très amusant. Tu nous présenteras une autre fois.

Elle hocha la tête, radieuse; la façon dont Joshua acceptait Niki, avant même de l'avoir rencontré, la tou-chait à un degré inexprimable. Comment avait-elle pu le juger si mal, au début ? Il était si ouvert, si tolérant... si facile à aimer.

— Quand veux-tu venir me chercher demain ? reprit-elle.

— Te chercher ? Je pensais te garder ici pour la nuit.

— C'est impossible !

— Pourquoi cela ?

— Eh bien, je...

Elle avait refusé automatiquement, mais en fait n'avait à cela aucune raison. Niki ne risquait pas de l'attendre.

— Ce doit être simplement que je n'ai pas l'habitude de dormir ailleurs que dans mon propre lit.

— Je m'en réjouis infiniment, plaisanta-t-il. Mais ne peux-tu faire une exception ? Ou bien ma modeste demeure ne correspond-elle pas au statut d'un juge de cours supérieure ?

Sa mine faussement offensée fit rire la jeune femme.

— Très bien, très bien, céda-t-elle. Je reste.

— J'ai un aveu à te faire, chuchota-t-il. Je suis exténué. Que dirais-tu d'aller dormir, innocemment enlacés ?

— Rien ne me ferait davantage plaisir, souffla-t-elle en caressant ses cheveux blonds. J'avoue être épuisée aussi.

Ils se levèrent doucement et, se tenant par la taille, gagnèrent la chambre à coucher. Anna ôta rapidement le peignoir et s'étendit sous la couette. Une fois installée, elle s'étonna de surprendre le regard brûlant de Joshua fixé sur elle.

— Que t'arrive-t-il ?

— J'espérais avoir une vision moins fugitive de tes formes charmantes. Mais tu es trop rapide.

Une expression malicieuse sur ses traits, il enleva son sweat-shirt et son jean.

— Ce nectar de palourdes est peut-être vraiment efficace, murmura-t-il en s'approchant.

Il souleva l'édredon pour contempler le corps d'Anna, splendide dans sa nudité. Sans un mot il la rejoignit et ils s'étreignirent avec ferveur.

9

DE pâles rayons de soleil filtraient à travers les
carreaux de la chambre. Anna tourna rêveusement la tête pour étudier le visage anguleux de
Joshua, baigné de lumière matinale. Un début de barbe
dorée ombrait son menton, tandis que ses cheveux en
désordre lui prêtaient une apparence presque enfantine.

Elle consulta la pendulette du regard : cinq heures et
demie, seulement ! Avec un soupir de contentement elle
se blottit tout contre son compagnon, et se rendormit
aussitôt.

— Debout, paresseuse, fit la voix de Joshua. Ne
devais-tu pas m'emmener à la boutique de tes parents,
aujourd'hui ?

L'arôme du café fumant qu'il approchait de son nez
arracha Anna au royaume des songes. Elle bâilla et s'enquit :

— Quelle heure est-il ?

— L'heure de se lever. Huit heures exactement.

Après avoir bu quelques gorgées du breuvage chaud,
Anna se sentit parfaitement réveillée, et impatiente
d'initier Joshua aux plaisirs du vieux marché. Tout en
s'habillant, elle remarqua :

— Passons d'abord chez moi. Cela paraîtrait étrange si j'arrivais un samedi en tenue de travail.

Une lueur amusée dans les yeux, Joshua lui tendit ses chaussures qu'il avait retrouvées sous le canapé.

— Partons vite, en tout cas, déclara-t-il. Sinon je risque de changer d'avis et de te retenir captive dans mon repaire tout le week-end durant.

Anna bondit en riant pour échapper à ses mains tendues, et gagna le pont en courant. Il la suivit jusque sur le quai et là, elle lui lança les clés de sa voiture.

Elle avait rarement l'occasion de se faire conduire, et en profita pour contempler à loisir le paysage familier. Quand ils s'arrêtèrent à un feu rouge devant *Pioneer Square*, elle étudia le cadre auquel une récente restauration avait rendu sa noblesse d'antan. Le triangle d'origine, bordé de bancs ornementés, était recouvert d'un toit en bronze, verdi par l'oxydation. A l'extrémité de la place était planté un mât totémique commémorant les premiers habitants de la région. Seattle tenait en effet son nom du sachem d'une tribu indienne, Sealth.

Les magasins commençaient juste à ouvrir, et aux terrasses des cafés les garçons sortaient de petites tables en bois. Dans le district international, où affluaient de nombreux réfugiés asiatiques, Anna aperçut la devanture discrète d'un restaurant qu'elle appréciait tout particulièrement.

— Si nous dînions japonais, ce soir ? suggéra-t-elle.

— Où cela ?

— Au *Bush Gardens*, tout près d'ici. La cuisine y est succulente et l'atmosphère très intime.

— Plus que chez moi ?

— Je n'en jurerais pas. Mais si nous réservons à l'avance on nous attribuera un salon à tatami, et tu n'auras pas à te plaindre des intrusions.

— Seras-tu ma geisha ?

— Si tu es mon samouraï, riposta-t-elle.

Il arrêta la Volkswagen devant la maison victorienne où demeurait Anna, mais ne coupa pas le moteur lorsqu'il descendit pour ouvrir la portière de sa passagère.

— Pendant que tu te changeras j'irai chercher le petit déjeuner à la boulangerie, expliqua-t-il.

A l'intérieur elle grimpa les escaliers quatre à quatre. Avant le retour de Joshua elle parvint à se doucher, à enfiler un jean et un pull-over, et à se maquiller légèrement. Son tricot jaune paille était neuf, elle l'avait réservé à une occasion spéciale. La souplesse de la maille fantaisie lui conférait une allure très féminine et douce. Elle brossa ses longs cheveux et, après une hésitation, les laissa cascader librement sur ses épaules. Dans son coffret à bijoux elle prit simplement deux peignes d'ambre en forme de fleurs ayant appartenu à sa grand-mère; les Russes vénéraient cette résine fossilisée, qui provenait selon la légende, des larmes versées sur les tombes des héros.

Au moment où l'eau arrivait à ébullition, on frappa à la porte. Anna se précipita pour ouvrir. Joshua lui tendit un sac rempli de croissants et de gâteaux dont s'exhalait une délicieuse odeur.

— Tentant, non ? fit-il. Mais tu ne pourras y goûter qu'après m'avoir bien laissé te contempler.

Il la détailla avec un plaisir manifeste et émit un long sifflement admiratif.

— Un peu de tenue, maître, l'admonesta-t-elle en riant.

Elle s'empara du sachet en papier et traversa le salon, Joshua sur ses talons. L'élégance sobre de sa demeure plut au jeune homme. Les tons clairs des étoffes formaient un fond neutre sur lequel ressortaient les roux des boiseries cirées. Divers objets disposés avec goût rappelaient les origines slaves de la jeune femme. Sur la cheminée, une poupée arrondie peinte de couleurs vives attira l'attention de Joshua. Il l'ouvrit, et découvrit une fillette qui, elle, contenait un poupon langé d'une couverture multicolore.

— C'est une *matriochka*, commenta Anna. Elle est très ancienne. Niki l'adore.

— Et ceci ? s'enquit Joshua en désignant un vase. Il est en ivoire ?

— Non, en corne d'élan incrusté de nacre. D'après mon père, cette pièce daterait du dix-huitième siècle. T'intéresses-tu vraiment à tout cela ?

— Bien sûr ! Montre m'en encore.

— Eh bien, voici ma version moderne du coin aux icônes. Chaque foyer russe en possédait une, et l'on y brûlait des cierges. Les flammes se reflétaient dans les ors des images saintes, et leur donnaient la vie.

— Même sans bougies, ces peintures ont une présence extraordinaire, s'émerveilla-t-il.

— Veux-tu que je te serve le thé dans un samovar authentique ?

Elle installa la bouilloire traditionnelle sur la terrasse et prépara l'infusion. Sous le regard attentif de Joshua, elle était fière d'exhiber son héritage culturel.

Ils burent en silence tout en dégustant les pâtisseries fraîches, environnés des fleurs printanières plantées sur le balcon. C'est à contrecœur qu'ils se levèrent pour partir au marché.

Quand ils eurent enfin trouvé une place pour se garer, ils déambulèrent main dans la main parmi la foule affairée. Anna devait réfréner son impatience pour laisser Joshua explorer à son aise les étals des marchands. Cette partie découverte était la plus connue, mais elle brûlait d'entraîner le jeune homme au sous-sol, dont les petites officines moins fréquentées étaient tenues par des amis de son enfance.

Avant de les visiter cependant, elle devait se rendre chez ses parents. Si jamais ils apprenaient qu'elle s'était attardée ailleurs auparavant, elle s'exposait à des protestations à n'en plus finir. Mais Anna éprouvait une vague de réticence, et en connaissait la cause : le dernier homme qu'elle avait présenté à ses parents avait été Sean. Quand sa mère rencontrerait Joshua, elle en tirerait des conclusions hâtives. Il allait falloir l'avertir discrètement d'éviter toute allusion déplacée…

Enfin ils pénétrèrent dans la boutique gaiement illuminée. Un cri de surprise de *mama* les accueillit :

— Anna ! Mon *Aniouchka*, tu es venue ! Et qui nous amènes-tu là ?

— *Mama*, *papa*, je vous présente Joshua Brandon. Joshua, voici mes parents, Eugenia et Alexis Provoloski, déclara Anna.

— Un nom très honorable, souligna *mama*. Nul besoin de le raccourcir.

— Je t'ai expliqué cent fois que je l'ai abrégé pour des raisons professionnelles.

— Evidemment ! rétorqua Mme Provoloski. Son métier, c'est tout ce qui compte pour cette drôle de fille.

— Laisse Anna tranquille, intervint *papa*. Tu vas ennuyer son ami.

Aussitôt Eugenia s'empara du bras de Joshua et, levant la tête vers lui, l'assaillit de questions :

— Eh bien, Joshua, que faites-vous dans la vie ?

— Je suis avocat.

— Ah ? Vous travaillez donc avec notre Anna. Et depuis combien de temps la connaissez-vous ?

— Nous nous sommes... heurtés il y a près de deux mois.

Madame Provoloski se tourna brusquement vers son mari.

— *Papa*, regarde-moi le désordre que tu as fait ici ! Que vont penser nos invités ? Et ce Nikolaï ! Je lui ai dit hier de ranger son établi, une vraie porcherie ! Mais il oublie tout, avec ces compétitions.

— Voyons, *mama*, l'arrêta Anna. Depuis quand suis-je une invitée ? Le magasin est très bien comme cela, je t'assure.

— Mais quelle idée va se faire ce jeune homme ?

Papa tapota doucement son épaule.

— *Nitchevo*, ce n'est rien, Anna a raison. Je vais faire visiter Joshua. Pendant ce temps, bavarde avec ta fille.

Joshua adressa un coup d'œil étonné à Anna, et suivit son père le long d'une allée encombrée. Il avançait avec précaution, car les rayons débordaient de petits objets d'artisanat tels qu'il n'en avait jamais vus, pour la plupart. Sur d'autres étagères s'entassaient des conserves de caviar et de spécialités russes qu'il ne connaissait pas. Des costumes ukrainiens aux coloris superbes étaient suspendus à des cintres accrochés aux murs. Mais ce qui l'intrigua par-dessus tout était l'étalage de livres et de journaux imprimés en caractères cyrilliques.

Il se hâta pour rattraper M. Provoloski qui soulevait un rideau tout au fond de la boutique. Derrière se trouvait l'atelier rempli d'outils pour tailler, graver et sculpter le bois.

Le vieil artisan s'était perché sur un banc devant sa table de travail, bien éclairée par un tube au néon. Ses cheveux argentés, un peu longs, avaient la même couleur noble que sa grande barbe. C'était de lui qu'Anna tenait sa haute stature, nota Joshua. Malgré les vêtements simples et son tablier maculé d'encre, ses mains marquées de cicatrices, il émanait de lui une sorte d'autorité imposante. Mais ses traits majestueux étaient adoucis par les petites rides entourant ses yeux noisette; sans doute possédait-il un solide sens de l'humour.

— Mon antre vous plaît ? demanda-t-il. J'entretiens soigneusement mon fouillis, cela décourage *mama*. J'adore mon épouse, mais Tolstoï avait raison.

— Comment cela ?

— Il a déclaré : « Quand j'aurai un pied dans la tombe, alors je dirai la vérité au sujet des femmes. Je parlerai, je sauterai dans mon cercueil, et je fermerai le couvercle sur moi. Quelles fassent ce qu'elles voudront, ensuite ».

Cette image fit s'esclaffer Joshua.

— En attendant ce jour-là, le désordre restera. Que pensez-vous de mon système ?

— Magnifique, monsieur Provoloski.

— Non, non mon garçon ! Personne ne m'appelle « monsieur Provoloski ». Pour tout le monde je suis Papa Provo et *mama* est simplement *mama*. Ne changez rien aux bonnes choses. C'est la règle d'or dans cette famille.

— Entendu, Papa Provo.

— Parfait. Voulez-vous voir ma dernière création ?

Joshua hocha la tête et rapprocha un tabouret.

— C'est une boîte à thé, en écorce de bouleau, précisa *papa*. Le bouleau est un des plus beaux cadeaux de Dieu. Il peut donner la vie, étouffer les cris, guérir les malades et préserver les bien-portants.

Le père d'Anna était une mine d'anecdotes, de citations et de traditions. Doté en outre d'un talent unique en son genre, il semblait bien être un de ces personnages exceptionnels qui attiraient tant Joshua.

— Comment donc pouvez-vous fabriquer des fleurs et

des feuilles aussi délicates ? s'extasia-t-il en caressant le minutieux ouvrage. On dirait de la dentelle.

Les yeux brillants de fierté, *Papa* expliqua :

— Je prends un morceau d'écorce, et avec un poinçon j'y grave le motif. Puis, à l'aide d'un burin très acéré, je découpe le matériau superflu.

Il retourna la pièce sous tous ses angles pour en montrer les détails à Joshua.

— Ne trouvez-vous pas que cela ressemble à un paysage enneigé ? murmura-t-il. Cela me rappelle ma Russie natale, c'est bon quand le mal du pays me vient.

— C'est extraordinaire, admira Joshua. Accepteriez-vous de me confectionner une boîte à thé de ce type ? Je souhaiterais l'offrir à mes parents, pour leur anniversaire de mariage.

— J'en serais très honoré. Avez-vous envie d'une scène particulière ?

— Je me fie à votre goût. Aurez-vous assez de quatre semaines pour la fabriquer ?

— Bien sûr, assura *papa* en souriant.

Joshua le regarda prendre quelques notes en écriture cyrillique; à l'évidence, le russe lui était aujourd'hui encore plus facile à manier que sa langue d'adoption.

Pendant ce temps, Anna affrontait le feu nourri des question de sa mère.

— Mais non, *mama*, je ne suis pas amoureuse, que vas-tu t'imaginer ? Joshua est un ami, rien de plus.

— Tu n'amènes pourtant jamais d'amis à la boutique, insista *mama*.

— Joshua a voulu venir car il avait remarqué mon étui à lunettes. Cela lui a donné une idée de cadeau. C'est pourtant simple !

— J'ai bien vu sa façon de te regarder.

— *Mama,* arrête. Pense ce que tu voudras, mais garde tes opinions pour toi et laisse-moi mener ma barque.

— Si je ne m'en mêle pas, à cinquante ans tu seras encore vieille fille ! Comment aurai-je des petits-enfants si tu ne te maries pas ?

— Changeons de sujet, veux-tu ? Ne gâchons pas la journée par une dispute.

— Très bien, très bien, je me tais. Mais crois-en mon expérience, ce Joshua t'aime.

Elle hocha solennellement la tête et alla servir un client, tout en chantonnant la berceuse de Brahms. Anna sourit de cette tentative peu subtile d'instiller en elle un instinct maternel. Sa mère ne croyait pas aux vertus de la discrétion; elle parlait constamment, embrassait, houspillait, conseillait, bousculait ses enfants. Mais toujours animée des meilleures intentions, d'amour très vif.

La jeune femme se leva pour aller voir comment s'entendaient les deux hommes. Elle souleva le rideau de l'atelier et vit son père expliquant à Joshua le maniement des outils anciens. L'avocat semblait ravi. Beaucoup de gens à sa place se seraient ennuyés, mais Joshua écoutait avec une attention fascinée. Anna eut un sourire empreint de tristesse; quel dommage que Niki ne puisse partager ainsi l'univers de *papa* ! Ce dernier ne s'en plaignait jamais, mais elle savait quelle joie il aurait eue à transmettre son art.

Pour chasser cet accès de mélancolie, elle les héla en questionnant :

— Allez-vous rester enfermés là jusqu'au soir, tous les deux ?

Ils se retournèrent vers elle d'un même mouvement, l'air penaud.

— Pardon, mon oiseau de feu. Je ne comptais pas te priver si longtemps de ton ami.

Il vint embrasser sa fille sur le front.

— Venez, Joshua. Nous devons tenir compagnie aux dames.

Pendant qu'ils revenaient vers l'avant du magasin, *papa* souffla à l'oreille d'Anna :

— Il est gentil, ce garçon.

— Ce n'est pas un garçon, mais un homme, et ne va pas te faire des idées à notre sujet, rétorqua-t-elle. J'en ai déjà parlé avec *mama*, mais je pensais que toi, tu me laisserais tranquille ! Ne puis-je vous amener un ami sans que vous alertiez aussitôt le Père Dimitri ?

— Calme-toi, *Aniouchka*. Je l'apprécie, c'est tout. D'ailleurs je l'ai invité à notre grand pique-nique.

Joshua l'avait apparemment conquis. Quel processus irréversible avait-elle engagé en le lui présentant, ainsi qu'à sa mère ? Celle-ci rangeait les produits exposés sur une étagère, tout en conversant gaiement avec lui. Il se retourna quand Anna et son père les rejoignirent.

— Vous ai-je entendu l'appeler « oiseau de feu » ? demanda-t-il à Papa Provo.

— Mais oui. A cause d'une légende qui raconte qu'une jouvencelle fut un jour transformée par un sorcier cruel en un oiseau de feu. Elle meurt, mais ses plumes subsistent sur terre; seuls, ceux qui aiment vraiment la beauté peuvent les contempler. Lorsque j'ai vu les cheveux flamboyants d'Anna pour la première fois, j'ai su qu'en elle vivait une de ces plumes magiques. Elle était mon oiseau de feu.

Pendant que *papa* récitait le vieux conte folklorique, Anna s'était empourprée. Elle intervint :

— Voyons, *papa*, n'ennuie pas Joshua avec nos histoires russes.

— Je trouve cela passionnant, au contraire, protesta-t-il. Ne nous interromps pas, *oiseau de feu*.

Piquée, Anna haussa les épaules et s'éloigna pour aider sa mère.

— Cette fille, elle ressemble tant à sa mère ! commenta *papa* en étouffant un rire. Elle ne sera pas facile à dompter. Tellement entêtée !

— Je m'en suis aperçu, convint Joshua. Es-tu prête à partir, Anna ? lança-t-il.

Elle garda le dos tourné, faisant mine de ne pas l'entendre.

— Je sais comment obtenir son attention, souffla-t-il à Papa Provo. Regardez : Eh bien, *Miss Tempête*, nous y allons ?

Elle pivota sur ses talons et lui fit face, les poings sur les hanches et les yeux étincelants de colère.

— J'arrive, *monsieur Brandon*.

— Vous voyez ? constata Joshua en échangeant un clin d'œil avec *papa*.

Durant les heures qui suivirent, Anna l'entraîna dans le dédale de ses boutiques préférées. Alors qu'ils se dirigeaient vers la sortie, Joshua remarqua une échoppe spécialisée dans les cerfs-volants.

— Si nous en achetions un ? suggéra-t-il.

Anna acquiesça volontiers, et ensemble ils choisirent un dragon aux couleurs éclatantes. Peu après ils s'amusaient comme deux enfants avec leur nouveau jouet, dans un vaste parc qui donnait sur Elliott Bay. Finalement le soleil se cacha derrière une masse de nuages sombres, et une bruine légère se mit à tomber.

Après avoir récupéré leur monstre de papier, les jeunes gens regagnèrent la voiture. Une fois à l'abri, Joshua avoua :

— Toutes ces activités m'ont épuisé, Anna. Serais-tu très déçue si nous remettions à un autre jour notre dîner au *Bush Gardens* ?

— Je n'osais pas te le proposer, répondit-elle avec soulagement. Nous pourrions simplement acheter une pizza et la déguster chez moi au coin du feu ?

Plus tard, étendus sur la moquette moelleuse devant la cheminée, ils contemplaient les flammes dansantes qui jaillissaient des bûches. Joshua caressait la tête de sa compagne, posée sur ses genoux.

— Qu'y vois-tu ? s'enquit-il rêveusement.

— Des scènes changeantes, murmura-t-elle. Des coquelicots soufflés par le vent, des feuilles d'automne, des créatures bondissantes... Et toi ?

Il prit son menton pour tourner son visage vers lui.

— Une femme ensorcelante qui m'a irrémédiablement envoûté.

— Veux-tu t'en libérer ? souffla-t-elle.

— Pas pour tout l'or du monde.

Il posa son verre de vin et se pencha sur elle. En prenant ses lèvres il la soumit à son tour à un sortilège, auquel elle non plus ne souhaitait pas échapper. Tout en l'embrassant il se mit à la dévêtir, sans hâte, puis ôta ses propres vêtements. Enfin il s'écarta pour promener ses mains avec ferveur sur les courbes sensuelles de son corps satiné.

Grisée, Anna caressa en retour les muscles fermes de son compagnon. A son souffle saccadé elle comprit qu'il succombait lui aussi à une ardeur irrépressible. Heureuse du pouvoir qu'elle détenait sur lui, elle s'amusa à exacerber son impatience, avant de s'étendre enfin sur lui pour l'étreindre de toutes ses forces. Ondulant l'un contre l'autre avec une exquise lenteur, ils laissèrent croître leur volupté jusqu'à atteindre un paroxysme inouï. Un même frisson les secoua tandis que leurs lèvres se fondaient encore en un cri étouffé.

Comblés de bonheur par le don mutuel de soi, ils

restèrent longtemps enlacés, étendus parmi les coussins qui jonchaient le sol.

La sonnerie du téléphone brisa la parfaite sérénité de ce moment. A contrecœur Anna se dégagea de l'étreinte de Joshua pour aller décrocher.

Appuyé sur son coude, Joshua admira son dos superbe dessiné par la lueur dansante du feu. Quel dommage qu'elle lui soit arrachée par un importun — au fait, qui donc ?

— Ne t'en fais pas, mon chou, déclara-t-elle doucement. Je serai là demain, comme promis. Non, je n'oublierai pas.

Une soudaine irritation gagna Joshua. Comment pouvait-elle parler ainsi à un autre homme, après avoir partagé avec lui une telle passion ? Il n'avait aucun droit sur elle, certes, mais contre toute logique il se sentait floué, trahi.

— Moi aussi je t'aime. A demain.

Elle raccrocha et revint vers lui, mais il se renfrognait, décidé à ne pas l'interroger. Pas question de révéler à quel point il devenait possessif.

— Désolée, soupira-t-elle en se blotissant contre lui. Niki se sentait un peu seul. Il s'inquiète pour les épreuves de demain, parce que la pluie a rendu le terrain boueux. Les fauteuils roulants risquent de s'enliser.

Chaque année, en effet, Niki se chargeait d'un des handicapés moteurs et poussait son fauteuil.

— Niki ? répéta-t-il, méfiant.

— Aurais-tu déjà oublié le nom de mon frère ?

Joshua se tut, incapable de chasser ses soupçons. Anna n'avait jamais prétendu être libre, et lui-même n'avait pas jusqu'à présent mené une existence de moine, loin de là. Mais quel besoin aurait-elle de lui mentir ?

Elle perçut sa jalousie et, bien qu'un peu agacée, en fût

également flattée. Mais elle ne put retrouver tout à fait son intimité antérieure avec Joshua. Encore une fois, Niki s'immisçait bien malgré lui entre elle et l'homme dont elle devenait proche.

10

Anna n'aurait jamais pensé ressentir une paix aussi profonde en se réveillant aux côtés de Joshua, dont un bras reposait sur son corps. Elle écouta un moment sa respiration régulière, puis se dégagea avec d'infinies précautions et se leva.

Enveloppée dans une douillette robe de chambre, elle gagna la cuisine et prépara du café. Elle s'assit ensuite face à la fenêtre pour en boire une tasse, et mit à profit sa solitude pour réfléchir aux événements de ces deux derniers jours.

Une idylle aussi merveilleuse pouvait-elle durer ?

Joshua et elle se connaissaient si peu... Le jeune homme avait accueilli sans répugnance l'annonce du handicap de Niki. Mais un seul coup de fil de ce dernier avait suffi à créer un malaise entre eux. Comment réagirait Joshua lorsqu'il le rencontrerait ?

Inconsciemment, Anna crispa les doigts sur sa chope, tout en contemplant la terrasse fleurie. Aujourd'hui, elle devait aller chercher Niki à Fort Lewis. Joshua comprendrait alors qu'ils n'avaient vécu ensemble qu'une parenthèse irréelle, bien différente de la vie encombrée de problèmes...

Perdue dans ses pensées, elle n'avait pas entendu arriver Joshua. Il se pencha sur elle et murmura dans son cou :

— A quoi penses-tu ?

Elle se tourna vers lui et effleura ses lèvres.

— Bonjour. Veux-tu du café ? proposa-t-elle en souriant.

— Je me suis déjà servi. Tu devais être bien préoccupée, pour ne pas le remarquer.

— J'admirais seulement la vue, prétendit-elle. Le *Puget Sound* est magnifique ce matin, non ?

— Si, convint-il. Reçois-tu le journal du dimanche ?

— Tu devrais le trouver sur le seuil.

Restée seule, elle se félicita d'avoir gardé secrètes ses graves réflexions. Mieux valait débuter la journée dans la bonne humeur. Mais ce répit serait de courte durée. Elle allait devoir trouver le courage de discuter aujourd'hui même de ses inquiétudes avec Joshua.

Il rapporta la volumineuse édition dominicale du *Seattle Times*, composée d'une demi-douzaine de sections séparées. Il chercha celle consacrée aux sports et se plongea dans la lecture des résultats de baseball. Anna s'empara des premières pages pour se concentrer sur les questions agitant la scène mondiale, et oublier ses soucis personnels.

Pendant qu'elle lisait un éditorial sur les fluctuations du dollar, Joshua était passé à la partie évoquant les célébrités de la région. Un long article relatait la brillante carrière d'un avocat originaire de Seattle, et exerçant sur la côte est. Il avait été désigné pour défendre un jeune homme emprisonné à vie au pénitencier de Walla Walla, qui avait introduit une demande en appel *in forma pauperis* auprès de la Cour Suprême. De telles requêtes étaient rarement acceptées, car le prévenu admettait ainsi n'être pas en mesure de financer sa défense,et ne pourrait être tenu aux règles présidant habituellement aux procès révisés par cette haute instance.

Lorsque la Cour jugeait recevable une telle demande, dans dix pour cent des cas environ, c'est qu'elle l'estimait digne d'un intérêt particulier. Elle choisissait alors un membre prestigieux du barreau pour représenter l'accusé.

— Regarde donc ceci, commenta Joshua en montrant le feuillet à Anna. Un natif de Seattle va plaider devant la Cour Suprême !

Anna leva les yeux et vit sous le gros titre une photo de Sean, hâlé et souriant. Submergée de panique, elle se détourna en marmonnant :

— Plus tard. Laisse-moi finir cet éditorial.

— Mais c'est extraordinaire, insista-t-il. Quel honneur d'avoir été sélectionné ! Ne te rends-tu pas compte ?

— Si, bien sûr; répliqua-t-elle sèchement.

Perplexe, il considéra l'article. Pourquoi avait-elle réagi avec une telle irritation mêlée d'anxiété ? Il relut la biographie de l'avocat, et se livra à quelques calculs...

— Connais-tu cet homme ? s'enquit-il, piqué par la curiosité. Vous avez dû effectuer vos études en même temps.

Anna ôta ses lunettes et soutint le regard inquisiteur de Joshua.

— Oui, admit-elle enfin. Je l'ai côtoyé à la faculté.

Joshua étudia son visage crispé. Pourquoi n'avait-elle pas dévoilé la vérité d'emblée ? Ses relations avec ce Sean Kendall avaient dû être plus intimes qu'elle ne voulait le reconnaître, c'était la seule explication logique. Etait-ce à cause de lui qu'elle était restée célibataire, et se consacrait à son métier avec un tel acharnement ?

— Il t'a laissé des cicatrices, n'est-ce pas ? devina-t-il.

— En effet, acquiesça-t-elle d'une voix étouffée. Nous devions nous marier, mais Niki... Sean était incapable d'assumer un beau-frère atteint de débilité mentale.

Cette évocation lui était visiblement douloureuse. Devant ses traits torturés, Joshua regretta de ne pouvoir administrer à ce goujat la correction qu'il méritait. Comment un homme digne de ce nom pouvait-il rejeter la femme qu'il aimait, sous prétexte qu'elle avait un frère handicapé ? Après cela, il était bien naturel qu'elle ne se fie plus à personne. Et n'avait-il pas lui-même confirmé ses craintes la veille, en s'irritant du coup de téléphone de Niki ?

— Tu n'es pas la seule à avoir été échaudée, déclarat-il avec douceur. Tôt ou tard nous nous confrontons tous à la cruauté humaine.

— Crois-tu qu'un autre que Sean aurait réagi différemment ? railla-t-elle.

— Bien sûr !

— Evidemment ! Du reste hier soir, tu es resté parfaitement serein après que j'aie parlé à Niki, n'est-ce pas ? Cela ne t'a pas dérangé le moins du monde. La soirée s'est terminée aussi agréablement qu'elle avait commencé. Arrête-moi si je me trompe...

Ainsi donc, elle s'en était aperçue. Il n'avait su masquer sa jalousie.

— Je plaide coupable, votre honneur, admit-il. Mais c'est le passé. Ne laissons pas le passé saboter notre avenir.

— Parce que nous avons un avenir ?

— Je le souhaite.

— Malgré tout ce qui pèse sur moi ?

— Si tu fais allusion à ton frère, je persiste à croire que tu dramatises la situation.

— Tu n'imagines pas le temps et l'énergie que je dois lui consacrer, rétorqua-t-elle avec colère.

— Peut-être pas. Mais donne-moi au moins l'occasion de m'en rendre compte.

— Y tiens-tu vraiment ?

Joshua s'était levé et scruta un moment l'horizon que bordaient les hautes montagnes. Comment en était-il arrivé là ? La beauté d'Anna Provo l'avait séduit, il avait voulu nouer avec elle des relations faciles, divertissantes. Et à présent il était question d'un engagement sérieux. Sans plus hésiter, pourtant, il confirma :

— J'y tiens.

— C'est ce que tu dis maintenant, s'entêta-t-elle. Mais quand tu auras vu Niki ? Ses besoins d'affection paraissent parfois sans fond…

— Je suis prêt à consentir quelques sacrifices.

— Voilà justement le problème. Je ne veux pas imposer de sacrifices à quiconque. Ce ne devrait pas être par charité que l'on aime Niki. Te plairait-il, à toi, d'être simplement toléré ?

— Tu déformes mes propos, protesta-t-il.

— Pas tellement. Mais je tiens à souligner quelques dures réalités dont m'a rendu conscience Sean. Un jour, Niki sera entièrement à ma charge. Quel homme a envie d'un enfant qui n'est pas à lui, et qui n'accèdera jamais à l'autonomie ?

Elle présentait ses arguments de façon très convaincante, mais Joshua ne comptait pas se laisser décourager. Il la mit debout et l'enlaça tendrement.

— Ne nous querellons pas, Anna, murmura-t-il. Je

n'ai même pas encore rencontré Niki. Nous aviserons ensuite...

Elle leva les yeux au ciel, désespérant de lui faire comprendre la gravité de la situation.

— Mais, Joshua...

— Le débat est clos, oiseau de feu.

Pour étouffer ses protestations il scella ses lèvres de doux baisers. Enfin il s'écarta en déclarant :

— Je dois rendre visite à ma famille, cet après-midi. Veux-tu m'accompagner ?

— As-tu déjà oublié que je dois aller chercher Niki ?

— C'est vrai. Eh bien, profitons ensemble du reste de la matinée. Je te présenterai une autre fois.

— Dès que j'aurai un week-end de libre, plaisanta-t-elle.

Elle sourit, dans un effort pour dissiper le malaise causé par leur conversation. Mais pendant qu'elle allait remplir leurs chopes de café, il médita sa répartie, tout en feignant de s'absorber dans les petites annonces. « Un week-end libre »... En avait-elle si peu ? Et si sa réticence cachait autre chose ? Un frère handicapé ne constituait pas un obstacle à ce point insurmontable ; bien des gens parvenaient à mener une existence normale malgré un tel problème. Peut-être Niki lui servait-il d'alibi ? Une femme aussi séduisante qu'Anna disposait certainement de nombreuses occasions. Elle pouvait avoir un autre amant, un rival secret...

Cette idée le déconcerta ; jamais encore il n'avait ressenti une telle jalousie. Mais aucune femme avant Anna n'en valait la peine. Ce sentiment lui paraissait si mesquin et infantile ! Et pourtant, ne perdait-il pas toute logique à l'idée qu'un autre homme puisse étreindre Anna ?

Il se ressaisit : son imagination divaguait. Anna ne lui donnait nulle raison de croire à des idées aussi folles.

Riant intérieurement de ses soupçons, il se mit à étudier sérieusement les colonnes de matériel à vendre. Il cherchait un dinghy d'occasion pour son voilier.

Quelque temps plus tard il consulta sa montre et sursauta.

— Anna, je dois me sauver, annonça-t-il en se levant. Il est déjà midi et demi, et j'ai promis à ma mère d'arriver pour le *brunch* à une heure.

— Le temps de m'habiller, et je te conduis, proposa-t-elle.

— Inutile, j'appellerai un taxi. Pourquoi nous bousculer tous les deux ?

Pendant qu'il se préparait, elle rassembla les sections éparses du journal. Un bruit de klaxon retentit dans la rue. Elle se pencha par le balcon et vit un taxi arrêté devant la porte.

— Dépêche-toi, Joshùa, recommanda-t-elle en lui apportant sa veste.

— J'ai tout de même le temps de t'embrasser convenablement avant de partir...

Il l'enlaça et ils échangèrent un long et tendre baiser. Aussitôt les réserves d'Anna s'évanouirent; elle n'éprouvait plus envers lui qu'un désir fervent. Mais Joshua abrégea leur étreinte en soupirant.

— Je ne peux plus m'attarder, maintenant. Je t'appellerai demain.

Elle l'accompagna jusqu'à la porte et le regarda monter en voiture. Quand il eut disparu elle referma le battant et s'appuya un moment au mur, épuisée. Quel conflit il avait introduit dans sa vie autrefois si simple ! Simple... et vide aussi. Mais la présence de Joshua compliquait tout de même singulièrement les choses...

Dans un effort pour se calmer elle s'activa dans la maison, effaçant toute trace de la soirée passée avec

Joshua. Lorsqu'elle fut prête à aller chercher Niki, elle avait tant et si bien rangé et nettoyé que le jeune homme aurait pu n'être jamais venu.

Martin avait installé dans sa Volkswagen un excellent auto-radio à cassettes. Aussitôt le contact mis, Anna y introduisit un enregistrement des valses de Strauss. Roulant en musique jusqu'à Fort Lewis, elle put continuer à chasser Joshua de ses pensées.

Enfin elle atteignit le camp militaire. Le garde posté à l'entrée lui expliqua dans quel baraquement trouver Niki. Ce dernier n'avait pas vu Elizabeth depuis sa remise à neuf, et ne la reconnut pas. Anna dut klaxonner et l'appeler pour attirer son attention. Elle le regarda courir vers elle, deux médailles dorées accrochées autour de son cou; il avait donc remporté deux épreuves ! Un sourire radieux aux lèvres, il posa sur la banquette arrière un volumineux sac à dos.

— Bonjour, Anna. Tu as acheté une nouvelle voiture ?

— Non, c'est notre bonne vieille Elizabeth. Mais je l'ai fait réparer.

— Quelle est belle ! s'extasia-t-il en ouvrant de grands yeux émerveillés.

— Grimpe, l'invita-t-elle. Il y a même un magnétophone, maintenant, et je t'ai acheté la dernière cassette des Muppets. Veux-tu l'entendre ?

— Oh, oui !

Elle attendit qu'il cesse de remuer sur son siège, dans sa surexcitation, et boucle sa ceinture. Il écouta la musique en souriant et en chantonnant. Puis Anna l'interrogea sur son week-end; il lui fit un récit tellement minutieux, qu'il terminait à peine quand elle se gara devant chez elle.

— Nous y voilà. Veux-tu dormir ici ce soir ?

— Tu joueras aux sept familles avec moi ?

— Seulement si tu n'exiges pas de gagner chaque partie !

Le téléphone sonnait lorsqu'elle ouvrit la porte. Elle courut décrocher, et reconnut la voix de sa mère :

— Ah, tu es rentrée, *Aniouchka*. Nikolaï est avec toi ?

— Oui, il va passer la nuit ici. Je te le ramènerai demain matin.

— Tu n'as pas de projets pour la soirée avec ce gentil Joshua ?

— Non, *mama*, je n'ai pas de projets avec ce gentil Joshua. Niki et moi allons dîner tranquillement et jouer aux cartes.

— Tu pourrais le reconduire et faire autre chose, insista mama. Avec Joshua, par exemple.

— *Mama*, tu m'avais promis de ne pas t'immiscer dans notre relation. Quoi qu'il en soit, Joshua était pris de son côté.

Niki s'empara du combiné et s'écria :

— J'ai gagné deux médailles d'or, *mama* !

Anna le regarda s'allonger sur la moquette pour bavarder confortablement en tortillant le cordon de l'appareil. Il allait encore falloir le changer ! Chaque fois qu'il téléphonait, Niki tirait et déformait les spirales jusqu'à les casser. Elle avait beau le chapitrer régulièrement, il oubliait toujours ses bonnes résolutions.

Pour masquer son irritation, Anna partit dans la cuisine mettre à bouillir des hot-dogs, le repas favori de Niki. Dans le congélateur elle prit une boîte de velouté de tomates qu'elle fit réchauffer dans le four à micro-ondes.

Ces préparatifs lui arrachèrent un soupir de nostalgie :

comme le repas de la veille avait été plus romantique !
Que pouvait faire Joshua, en ce moment ?

Niki fit brusquement irruption dans la cuisine.

— Ça sent bon ! remarqua-t-il avec enthousiasme. On
mange bientôt ?

— Dès que tu auras mis la table.

— Je peux avoir seulement des hot-dogs ?

— Non, Nikolaï. Un athlète a besoin de légumes pour
rester en bonne santé.

— En tout cas, ne compte pas sur moi pour l'appré-
cier, ta bête soupe, maugréa-t-il.

— Niki, as-tu envie de jouer ensuite aux sept familles ?

— Oui...

— Alors plus d'insolences, tu m'entends ? Je ne suis
pas d'humeur à supporter cela.

— Pardon. Je serai sage, promit-il.

— C'est bien, approuva-t-elle en souriant.

Il engloutit quatre saucisses en un temps record et,
pour faire plaisir à sa sœur, demanda un second bol de
potage. Stoïque, il l'avala à grandes cuillerées, sans dissimuler ses grimaces afin de faire valoir son héroïsme.

— Tu n'as plus faim ? s'enquit-elle quand il eut terminé.

— J'ai encore un peu de place pour le dessert, s'il y en
a...

— Je croyais avoir acheté de la glace, mais je ne sais
plus où elle est, taquina-t-elle.

— Voyons, Anna ! s'esclaffa-t-il. Elle est toujours au
congélateur.

Il courut la chercher et les servit tous les deux. Ils firent
ensuite deux parties de cartes, puis Niki déclara brusquement :

— Je vais voir quelle heure il est.

Depuis l'invention des pendules digitales il savait enfin lire l'heure, et en tirait une grande fierté.

— Six heure cinquante-cinq, déchiffra-t-il. C'est presque sept heures ?

— Moins cinq. Pourquoi ?

— Il va y avoir les Muppets. Je peux aller les regarder ?

— Bien sûr.

Ils assistèrent ensemble à plusieurs émissions télévisées. A dix heures, Anna envoya Niki se coucher. Devant sa mine déconfite, elle l'autorisa à emporter au lit son petit transistor. Ravi, il se pencha pour l'embrasser.

— Bonne nuit, mon chou, murmura-t-elle. Je monterai te border un peu plus tard. Fais de beaux rêves.

Restée seule, elle se versa un verre de vin et éteignit le téléviseur, pour ne conserver que la lueur diffuse d'une petite lampe. Tout en buvant elle réfléchit aux deux hommes les plus importants de sa vie, Joshua et Niki. Allaient-ils être compatibles ?

— Anna, fit la voix de Niki, interrompant ses pensées. Ta radio est cassée.

— Donne-la moi, je vais voir cela.

Il s'approcha lentement, l'air penaud, et lui tendit l'appareil. Niki avait le don de casser tout ce qu'il touchait, mais cette fois il n'y était pour rien; les piles étaient rongées de corrosion.

— Je n'ai rien fait, tu sais Anna. Est-ce qu'il va falloir la jeter ?

— Non, ce sont simplement les piles qui sont usées.

— Je ne leur ai pas fait de mal, protesta-t-il avec véhémence.

— Niki, Niki, le rassura-t-elle en riant. Cela signifie qu'elles sont trop vieilles, c'est tout. J'en rachèterai demain. Allons, va vite dormir.

Elle décida d'en faire autant, et lui emboîta le pas. Mais une fois étendue dans l'obscurité, elle se retourna des heures durant, envahie par l'inquiétude. Quand enfin elle succomba au sommeil, ses rêves prirent le relais de son imagination; Joshua et elle s'y querellèrent sans fin devant la Cour Suprême, sous l'œil goguenard de Sean. Lorsque le réveil sonna à cinq heures et demie, elle avait l'impression d'avoir pris part à un marathon !

Une fois bue sa première tasse de café, elle eut le courage d'ouvrir les rideaux. Le temps, maussade et pluvieux, s'accordait parfaitement à son humeur. D'après les plaisanteries locales, la saison des pluies à Seattle s'étend du Jour de l'An à la Saint Sylvestre. Située au bord d'un bras de mer entre deux massifs montagneux, la ville recevait en effet une quantité remarquable de précipitations.

Anna renonça à courir, ce matin. Mieux valait pédaler quelques « kilomètres » sur son vélo d'appartement, au chaud et au sec.

Pour se donner ensuite la force d'affronter la journée, elle résolut de préparer un copieux petit déjeuner : bacon grillé, gaufres et framboises fraîches. Niki allait être fou de joie. Elle alla le réveiller, après avoir mis à frire les fines tranches de lard.

— Debout, paresseux !

Il roula sur le côté et s'enfonça sous les couvertures en marmonnant :

— Encore un peu...

— Le bacon est sur le feu et je vais faire des gaufres...

— Chic ! s'écria-t-il en se redressant d'un bond. C'est déjà prêt ?

— Non, mais en attendant tu pourrais aller chercher le journal et jouer aux sept erreurs.

Il se leva en hâte et ramassa le *Seattle Times* sur le

seuil. Puis, dans la cuisine, il se versa un bol de café, y ajouta beaucoup de lait et de sucre, et déplia le quotidien à la page des jeux. Anna l'encourageait toujours à exercer toutes les activités susceptibles d'étendre le champ de ses compétences. Chaque fois qu'il maîtrisait un nouveau savoir-faire, ou surmontait un obstacle, son assurance en était d'autant renforcée.

Il étudia avec attention les deux dessins presque semblables, et enfin annonça :

— J'ai trouvé une différence ! Tu vois, ici la dame n'a pas de sac.

— Bien ! Continue, il t'en reste six à découvrir.

Lorsqu'il termina, ils avaient fini leur repas.

— Parfait, le félicita Anna. Maintenant va prendre ta douche pendant que je nettoie tout cela.

— Oui, Anna.

— Et n'oublie pas de te raser, ajouta-t-elle en caressant sa joue rapeuse. Ni de te laver les dents.

Elle se lassait de réitérer constamment les mêmes recommandations, mais comment l'éviter ? Même pour les plus élémentaires des problèmes, Niki aurait toujours besoin d'être dirigé.

Elle avait les mains plongées dans l'eau de vaisselle quand le carillon de l'entrée retentit. Niki se précipita avant qu'elle n'ait eu le temps de s'essuyer.

Avec pour tout vêtement une serviette nouée en pagne autour des reins, Niki ouvrit toute grande la porte et adressa à Joshua un sourire confiant. Anna jeta un rapide coup d'œil dans la glace du vestibule; elle aurait préféré ne pas se montrer à Joshua dans cette robe de chambre enfarinée, avec ses cheveux remontés à la va-vite en un chignon désordonné. Mais au total, le tableau ne manquait pas de charme, étant donné l'heure matinale.

— Tu es occupée, dirait-on, observa Joshua d'une voix glaciale.

— Mais non, intervint Niki avec bonne humeur. On a fini de s'amuser, maintenant on va se doucher.

— Je vois. Madame le juge a ses distractions du week-end, et d'autres pour la semaine.

La grossièreté de ses remarques suffoqua la jeune femme. Elle le considéra quelques instants, interdite, puis comprit qu'il prenait Niki pour son amant. Cette idée lui parut d'une telle incongruité qu'elle ne put s'empêcher de pouffer.

Ainsi donc, ses soupçons étaient fondés, constata-t-il avec fureur. Il y avait bien un autre homme dans la vie d'Anna, un homme dénué de toute pudeur, et scandaleusement beau par-dessus le marché !

— Joshua, commença-t-elle en riant de plus belle. Joshua, si tu savais..

— En effet, j'aimerais que tu m'expliques cette irrésistible plaisanterie, coupa-t-il. Mais auparavant j'ai une autre question.

Anna voulut l'arrêter et mettre fin à ce malentendu, mais quand elle toucha son bras il la repoussa comme si son simple contact la dégoûtait.

— C'est donc cela, Miss Provo ? Vous choisissez dans votre harem le compagnon de chaque nuit libre ? Faites-vous une encoche dans la tête de lit pour chaque nouveau succès ?

Une telle vulgarité la choqua au-delà de toute expression.

— Monsieur Brandon ! explosa-t-elle. Comment osez-vous émettre de telles insinuations concernant ma vie privée ?

— Qui ne me regarde pas, évidemment, enchaîna-t-il d'un ton amer. J'avais cru que si. Je pensais qu'il existait vraiment quelque chose entre nous. Quel idiot sentimental je fais !

Il pivota sur ses talons et descendit les marches. Mais pendant qu'il s'éloignait, un doute s'empara de lui : cet homme pouvait-il être Niki ? Pourtant, au téléphone, il avait parlé de problèmes que lui posait la boue pour son fauteuil à roulettes. Mais peut-être existait-il une explication logique à cette étrange situation ?

Il revint brusquement sur ses pas en proposant :

— Ecoute, Anna. Si nous discutions...

— Je refuse de me soumettre encore à vos injures, monsieur Brandon. Retournez d'où vous venez, et que je n'entende plus jamais parler de vous !

De rage elle claqua le battant de toutes ses forces. De son côté, le courroux de Joshua s'était embrasé à nouveau.

— C'est bien la dernière fois que tu me fermes la porte au nez ! cria-t-il.

Il fit rugir le puissant moteur de la Jaguar et effectua un bruyant demi-tour dans la rue. Anna l'entendit partir dans un crissement de pneus, et resta pétrifiée, étreinte par une sensation de vide atroce.

— Il n'a pas voulu rester jouer ? s'étonna Niki.

Ravalant ses larmes, Anna murmura d'une voix étranglée :

— Non, Niki. Il ne joue plus.

Niki disparut dans la salle de bains et Anna céda enfin aux sanglots qu'elle ne pouvait plus retenir.

— Et il prétendait que Niki ne poserait aucun problème, médita-t-elle à haute voix.

11

L E boeing se posa sur la piste, et Joshua chercha son sac de voyage sous le siège. Dès l'appel de Maurice, ce matin, il avait téléphoné à toutes les compagnies aériennes pour réserver une place à bord du premier vol à destination de San Diego.

Durant tout le trajet, le rire d'Anna avait résonné dans sa tête, ravivant l'humiliation infligée devant sa porte. Il était passé en coup de vent, pour lui annoncer que son grand-père venait de subir un infarctus, et qu'il partait le voir en Californie. Mais au lieu de son réconfort, il n'avait reçu que son mépris. Il la revoyait encore, si placide dans sa robe de chambre écarlate, auprès de son amant à demi nù. Elle n'avait même pas la pudeur de paraître honteuse de sa duplicité dévoilée. Loin de là, elle s'était joyeusement moquée de lui !

Pendant que l'appareil s'immobilisait devant l'aérogare, il se força à la chasser de ses pensées. Un seul chagrin allait suffire, et pour l'heure, c'était à son grand-père qu'il devait toute son attention et son affection.

Il lui tardait de débarquer pour gagner l'hôpital. Son aïeul et lui avaient eu leurs désaccords, bien sûr, mais il tenait à faire la paix avec lui avant de le perdre. Ainsi, il était capital de lui faire comprendre que son départ de la société n'impliquait aucune rancœur personnelle, mais seulement un autre choix de vie. Pourvu qu'il arrive à temps !

La descente de l'avion lui parut interminable, puis la traversée de l'aéroport bondé, l'insupportable attente d'un taxi libre. Enfin, après ce qui semblait une éternité, il fut admis dans la chambre du malade. A pas lents il s'approcha du lit. Il avait toujours connu son grand-père si dynamique, que l'idée de le voir relié à des perfusions et des appareils de surveillance l'effrayait. Comment un homme aussi puissant et impérieux pouvait-il dépendre de toutes ces machines ?

Joshua prit dans la sienne sa main froide et ridée, et murmura :

— Grand-père, c'est moi, Joshua.

Les paupières du vieillard s'entrouvrirent.

— Enfin tu es là, mon garçon.

— Oui, grand-père. Comment vas-tu ?

Un faible sourire fit frémir ses lèvres desséchées.

— J'ai eu des jours meilleurs. Mais as-tu remarqué l'infirmière ? Très mignonne.

Joshua ne put que rire.

— Tu n'es pas bien malade ! Ne joues-tu pas la comédie, pour me forcer à revenir ? Je te préviens, au premier clin d'œil que je te vois lancer à une jolie fille, je repars tout droit à Seattle.

— Toi, je n'ai jamais pu te duper, souffla le vieil homme d'une voix à peine audible.

— Repose-toi, maintenant. Je vais rester près de toi, mais il faut dormir. Tu auras besoin de toutes tes forces pour surveiller ce garnement de Maurice.

Joshua demeura à son chevet tandis qu'il s'assoupissait. De temps à autre il caressait son visage parcheminé avec une infinie douceur. Enfin l'infirmière de réanimation entra et suggéra :

— Si vous alliez boire un café, monsieur Brandon ? Je dois changer les perfusions de votre grand-père. Vous pourrez revenir lui tenir compagnie dès que j'aurai terminé.

Dans la cafétéria, Joshua fixait distraitement sa tasse lorsque son frère vint s'asseoir à côté de lui.

— Je suis heureux que tu aies pu venir si vite, Josh, déclara-t-il doucement.

— Oui... J'étais avec lui, mais on m'a chassé pour les soins. As-tu revu le médecin ?

Maurice hocha la tête d'un air triste.

— Il n'est guère optimiste...

— C'est-à-dire ?

— Le cœur est usé. Il peut lâcher d'un moment à l'autre.

Joshua but plusieurs gorgées avant de répondre :

— C'est ce que je craignais.

En silence les deux hommes regagnèrent la chambre pour reprendre leur veille. Maurice prit place auprès du malade endormi, pendant que Joshua examinait la pièce moderne et aseptisée. Dans ces services de réanimation les fleurs n'étaient pas autorisées, mais quelqu'un avait apporté une photo jaunie d'Eloise Brandon. Joshua contempla longuement sa grand-mère souriante, nageant dans le bonheur le jour de ses noces, une soixantaine d'années plus tôt. Vêtue d'une élégante robe de dentelle, elle s'accrochait au bras de son sémillant époux. Un an plus tard elle devait mourir en donnant le jour à son unique enfant, le père des garçons.

— Pauvre grand-père, commenta Joshua à voix basse. Il ne s'est jamais remis de l'avoir perdue.

Maurice haussa les épaules.

— Il a choisi lui-même la solitude. Les occasions de se remarier ne lui ont pas manqué.

L'indélicatesse de ce propos heurta Joshua. Apparemment l'amour ne signifiait rien, aux yeux de Maurice. Et peut-être avait-il raison ? On pouvait croiser bien des femmes dans une vie...

Leurs parents arrivèrent bientôt, et le cardiologue les reçut tous dans son bureau. Le pronostic était sombre, il fallait s'attendre au pire. Profondément ébranlée à l'idée de cette perte prochaine, la famille décida de se rassembler dans un restaurant voisin. Les deux frères montèrent ensemble dans la Mercedes de Maurice.

— As-tu remarqué le costume bleu marine de papa ? commenta ce dernier. Il porte déjà le deuil.

— Oui, il avait une mine affreuse, le visage sans expression. Je le plains.

— Pourquoi cela ?

— Papa à toujours vécu dans le luxe, mais sans l'amour d'une mère. Et son unique parent noyait son chagrin dans le travail au lieu de s'occuper de lui.

Joshua pressentait que la peine de son père était due pour une grande part au regret de n'avoir jamais eu de relation proche avec le vieil homme. Le plus triste était que cette carence s'était transmise : avec son propre fils, Joshua, il n'entretenait guère non plus de liens intimes.

Mme Brandon dirigea la réunion avec son calme habituel. Très grande, vêtue avec raffinement, toujours soigneusement coiffée et maquillée, elle réglait magistralement son existence et celle de ses proches. Mais rien d'imprévu ne devait perturber les plans qu'elle dressait pour tout et pour tous. Car sous sa façade impassible, Joshua devinait une grande fragilité.

— Qui sera élu président de la société, à présent ? s'enquit Maurice.

Joshua considéra son frère, parfait héritier des Brandon : comme eux il était beau, brun, de stature haute et puissante. Et comme eux distant, détaché, imperméable aux émotions irrationnelles.

Joshua connaissait bien les défauts de sa tribu. Pourtant il les aimait. Chacun d'eux faisait de son mieux dans l'univers qu'il s'était créé. Et sans doute leur ressemblait-il plus qu'il ne l'avait cru : il avait pensé pouvoir contrôler Anna, la conduire à adopter son point de vue en tout. Il s'était probablement fourvoyé — mais les torts étaient partagés, car elle l'avait cruellement blessé.

— Il ne pourra jamais reprendre sa place de dirigeant, enchaînait Maurice avec une froide logique. Même s'il surmonte cette crise.

— Les intérêts de l'entreprise doivent être sauvegardés, insista Mme Brandon. Grand-père a consacré sa vie entière à la firme, et sa maladie ne doit pas nuire à la bonne marche des affaires.

Vue de l'extérieur, cette scène pouvait paraître sordide. Mais le vieux Joshua Brandon aurait béni les préoccupations de ses proches. C'est ainsi qu'ils pouvaient le mieux lui témoigner leur amour.

A dix-neuf heures, Joshua était saturé de café et de ces sinistres discussions. Il lui fallait se libérer de cette atmosphère pesante, et vite. Priant les autres de l'excuser, il se leva abruptement et prit congé. Son frère lui proposa de loger chez lui, mais il déclina son offre.

— C'est gentil de ta part, Maurice, mais j'ai besoin de solitude. Je vais marcher un peu, puis j'irai à l'hôtel.

Tout en déambulant le long des rues, il songea à Anna, sans colère. Au contraire, le contact de ses lèvres, de ses bras autour de lui lui manquait cruellement, à un tel moment de désarroi.

Puis l'homme qu'il avait vu chez elle lui revint en

mémoire, et il la maudit à nouveau. Le monde regorgeait de femmes — de femmes fidèles. Anna Provo pouvait aller au diable !

Pendant qu'il se morfondait à l'hôpital de San Diego, Anna de son côté rongeait son frein. Une fois calmée, elle s'était mise à la place de Joshua; la scène qu'il avait découverte prêtait certes à équivoque. Toute la journée durant elle avait essayé de le joindre. Chaque fois sa secrétaire lui avait annoncé :

— Je suis désolée, mais M. Brandon n'est pas venu, aujourd'hui. Voulez-vous laisser un message ?

— Non, pas de message, merci.

Qu'aurait-elle pu répondre ? « Dites à M. Brandon qu'il a commis une méprise » ? « Dites à M. Brandon que Miss Provo regrette de ne pas l'avoir giflé » ? Plus elle s'acharnait en vain à le joindre, plus elle s'irritait. N'était-ce pas à lui d'appeler, puisqu'il l'avait offensée ?

Par ailleurs, elle trouvait un certain humour à la situation. Cet homme qui, après le spectaculaire accouchement de Julie sur le ferry-boat, semblait capable d'affronter l'imprévu sous toutes ses formes, reprenait une dimension humaine. Elle n'était donc pas la seule, dans leur relation, à se laisser dominer parfois par ses émotions.

Mais il avait disparu. Elle éprouvait cette même sensation de vide affreux que sur le bateau, quand elle avait tendu son fils à Julie. Elle décida brusquement de téléphoner à la jeune mère. Cela lui changerait les idées, et depuis plusieurs jours, elle n'avait pas pris de nouvelles des jumeaux.

— Ils réclament constamment à manger ! s'exclama Julie. De véritables ogres.

— Ils ne dorment donc pas ?

— Si, mais jamais les deux en même temps. Sitôt que l'un s'endort, l'autre a faim, soupira-t-elle.

— Vous êtes fatiguée ?

— Oui, et heureuse, aussi. C'est drôle... Je ne souhaitais pas d'enfant, et maintenant je n'ai rien de plus précieux au monde.

— Vous ne souhaitiez pas d'enfant ? répéta Anna, incrédule.

— Non, c'était un de ces accidents, vous savez. J'en voulais au monde entier de cette grossesse, à mon mari surtout. Moi qui tenais tant à voir le monde, à lire, à aller au concert...

Anna l'écouta en silence; ses hésitations étaient bien différentes des siennes.

— En fait, ce n'étaient que des prétextes, avoua Julie. La vérité est que j'étais terrifiée : et si j'étais une mauvaise mère ? Et si j'avais un bébé anormal ?

Ainsi donc, Julie avait ressenti des craintes analogues aux siennes, médita Anna après avoir raccroché.

Comme elle restait tendue, elle se mit en short pour aller courir. Dans l'effort physique elle chassait généralement ses idées noires.

Mais malgré la fatigue elle ne put s'empêcher de penser à Joshua. Ils devaient absolument parler, fût-ce pour se dire adieu. Et elle ne voyait plus qu'un moyen de le trouver.

Sitôt rentrée chez elle, elle parcourut l'annuaire à la recherche de *Doug's Island Inn*. Elle composa le numéro sans attendre.

— Anna ! s'exclama Douglas d'une voix chaleureuse. Que me vaut le plaisir ?

— Je me demandais si vous aviez des nouvelles de Joshua.

— Pas récentes, non. Que se passe-t-il ? A-t-il encore

besoin que je le corrige pour lui enseigner les bonnes manières ?

Elle eut un rire nerveux.

— Nous avons eu une petite dispute, expliqua-t-elle. J'aimerais mettre les choses au point avec lui, mais impossible de le joindre.

— Ne vous inquiétez pas, Anna. Il refera surface. Le mieux est de vous occuper pour attendre patiemment.

Plus tard, en se couchant, elle se remémora les paroles rassurantes de Douglas. Joshua n'était pas homme à abandonner la partie pour si peu. Convaincue qu'il la rappellerait, elle s'endormit assez sereinement.

Au même moment, à San Diego, Joshua arpentait en silence le couloir désert de l'hôpital. L'état de son grand-père s'était subitement aggravé, et la famille avait été convoquée.

— Monsieur Brandon ? appela une infirmière à voix basse. Il vous réclame.

Il pénétra dans la pièce faiblement éclairée et se pencha sur le vieillard exsangue.

— Bonsoir, grand-père, fit-il d'une voix étranglée.

— Bien... mon garçon, souffla le vieil homme.

— Quoi ? l'encouragea Joshua. Que veux-tu dire ?

— Eloise... serait... fière... toi.

Joshua prit sa main froide entre les siennes, et le vit s'éteindre doucement. Il embrassa le bout de ses doigts pâles, en chuchotant :

— Adieu, grand-père.

Les heures suivantes passèrent dans un brouillard de formalités à accomplir. Enfin, à sept heures et demie du matin, Joshua sortit sous le radieux soleil de Californie et regagna son hôtel.

Dans la solitude de sa chambre, le chagrin le submer-

gea. Si seulement il pouvait se blottir contre Anna, partager sa peine avec elle ! Au lieu de cela, il se retournait
interminablement sur son lit. Il savait que sa tristesse
n'était pas due uniquement au décès de son aïeul.

Finalement, vaincu par l'épuisement, il sombra dans
un sommeil agité. Le visage d'Anna apparaissait constamment dans ses rêves, et son rire moqueur y résonnait
sans fin.

Il se réveilla un peu hébété et pendant quelques minutes considéra sans comprendre ce cadre étranger. Puis
tout lui revint : le voyage à San Diego, l'accablement…
Sans hésiter il téléphona à Douglas, qui avait toujours su
le réconforter.

— Douglas ! Je suis heureux de te trouver.

— Tu as une voix bien grave…

— Grand-père est mort, annonça Joshua. La nuit dernière.

Après un long silence, Douglas déclara :

— Il nous manquera. C'était un vrai gentleman.

— Douglas… Je me demandais si…

— Ne t'inquiète pas, fils, répondit Douglas en devinant sa prière. Je vais m'arranger pour le restaurant. Je
serai là à l'heure du dîner.

— Merci, acquiesça Joshua avec soulagement.

— Au fait, Anna m'a appelé hier. Elle te cherchait.
Puis-je lui dire où te joindre ?

— Anna ? s'étonna Joshua. Mais à quoi joue-t-elle ?

— Elle n'avait pas l'air de jouer, rectifia Douglas. Elle
m'a paru très désemparée.

Il entendit un rire amer dans l'appareil.

— C'est une comédienne consommée.

— Je sais que vous vous êtes disputés, mais…

— Je t'interdis de la prévenir, coupa Joshua.

— Comme tu voudras, capitula Douglas. Mais à mon

avis, tu as tort. Tu devrais au moins avoir la correction de
la rassurer sur ta santé.

— A ce soir, trancha Joshua avant de raccrocher.

A San Diego, Douglas l'aida à prévoir les détails des
obsèques.

— Maurice ne m'est d'aucun secours, expliqua Joshua
pendant qu'ils dînaient ensemble. Les rouages de l'entreprise n'ont pas de secrets pour lui. Mais dès qu'il s'agit
d'une question de vie ou de mort...

— Déjà, enfant, quand vous perdiez un animal
domestique, il fuyait nos cérémonies d'enterrement, se
rappela Douglas.

— C'est un trait de famille, admit Joshua. Mes parents
aussi se sont déchargés de tout cela sur moi. Je vais être
obligé de rester quelque temps à San Diego. Cela ne me
dérange pas, mais il va falloir que j'obtienne un congé.

Le lendemain matin, il eut son superviseur au téléphone, qui lui accorda une semaine d'absence. Quatre
jours plus tard, toutes les formalités étaient réglées,
hormis la lecture du testament qui aurait lieu dans
l'après-midi. Ce matin-là, Joshua et Maurice se reposaient au bord de la piscine du club de sport, après une
partie de tennis acharnée. Une pulpeuse jeune femme à
la chevelure flamboyante passa près d'eux en les dévisa-
geant longuement.

— As-tu vu cette rousse, Josh ? commenta Maurice.

Joshua leva les yeux de son livre.

— Où cela ?

— Là-bas, dans le maillot noir très échancré.

— Ah, celle-là, fit Joshua avec ennui.

— Tu as quelque chose contre les rousses ?

— Cela suffit, Maurice. Allons nous changer.

— Tu es vraiment bizarre, ces temps-ci, remarqua
Maurice. Aurais-tu un problème ?

— Voyons... Grand-père est mort. Je refuse d'abandonner mon travail pour diriger l'entreprise avec toi et nos parents ne me le pardonnent pas. Je néglige ma nouvelle carrière à Seattle. Et tout à l'heure, le reste de la famille va affluer comme autant de vautours dans l'espoir de récupérer quelques miettes de l'héritage. Et comme si cela ne suffisait pas, tu as l'audace de me demander si j'ai un problème ?

Maurice hocha la tête en silence. Quand Joshua se leva pour regagner les vestiaires, il lui emboîta docilement le pas.

Après s'être habillés, ils déjeunèrent rapidement au bar du club. Puis il passèrent à l'hôpital chercher les effets personnels de leur grand-père, qu'on leur remit dans un sac en papier kraft. Dans la voiture seulement, Joshua en vérifia le contenu, et contempla la photo qui avait été posée sur la table de chevet. Le bonheur du jeune couple lui parut presque macabre à présent, à la lumière des soixante années de solitude vécues par son aïeul. En vain celui-ci avait-il cherché une femme digne de remplacer Eloïse dans son cœur.

Un étrange désespoir s'empara de lui. Songeur, il rangea le vieux cliché dans une poche de sa veste. Comme Maurice se garait, il lança :

— Es-tu prêt, Maurice ?

— Je ne vois pas pourquoi tu te préoccupes autant d'une simple formalité, Josh.

— J'ai l'impression que grand-père nous a réservé une surprise à sa manière. Sais-tu qu'il a fait rédiger un nouveau testament, il y a deux mois ?

— Je n'en avais aucune idée, murmura Maurice, brusquement inquiet.

Ils furent introduits dans une salle de réunion, et Joshua passa en revue les visages impatients. Aucun ne manquait à l'appel, naturellement. Il les observa avec amusement tandis que le notaire lisait les dispositions testamentaires prises à l'égard de chacun. A l'annonce des legs dont ils bénéficiaient, leurs physionomies s'éclairaient l'une après l'autre.

Enfin, l'homme de loi lut le nom de Joshua :

— « Et à Joshua Brandon, troisième du nom, l'aîné bien-aimé de mes petits-fils, je lègue vingt-cinq pour cent de mes actions dans la *CAN-AMER-MEX*. Votre grand-père à écrit quelques lignes à votre intention, ajouta-t-il avant d'enchaîner. « Je sais, Joshua, à quel point notre fortune familiale t'a rendu sensible aux inégalités sociales. Je te demande d'utiliser les intérêts de ces titres au profit d'œuvres charitables de ton choix. Et sans culpabilité, je t'en prie. Je connais moi aussi le sens du mot altruisme ».

Joshua mit plusieurs minutes à comprendre; cet héritage allait lui permettre de venir en aide à nombre d'organismes d'aide sociale en difficulté. Etourdi par le choc, il ne trouvait pas ses mots.

— Vous semblez stupéfait, remarqua le notaire.

— Je... C'est exact, articula Joshua.

— Ignoriez-vous que votre aïeul était un des philanthropes les plus généreux du pays ?

— Je ne m'en doutais nullement !

— C'était un grand homme. Il sera regretté par beaucoup.

— Savez-vous quelles organisations il subventionnait ?

— Il m'a expressément interdit de vous en communiquer la liste. Voyez-vous, il tenait à vous laisser entièrement libre de vos décisions en ce domaine. Il tenait votre jugement personnel en haute estime.

Encore abasourdi par cette nouvelle, Joshua passa le

reste de la journée dans le brouillard. En fin d'après-midi, Douglas le trouva dans sa chambre. Après quelques minutes de conversation, il s'enquit :

— As-tu téléphoné à Anna ?

— Je ne veux pas en entendre parler.

— Mais ne lui dois-tu pas une explication ?

— Je ne lui dois rien ! Et je te serais reconnaissant de me laisser mener ma vie comme bon me semble.

Jamais encore Joshua n'avait rabroué aussi sèchement son vieil ami. Celui-ci recula comme s'il avait été giflé, et pour dissimuler sa peine, prit rapidement congé.

Joshua regretta aussitôt sa brusquerie. Afin de faire le point, il décida de marcher sur la plage, seul. Déchaussé, le pantalon retroussé sur ses mollets hâlés, il erra un long moment sur l'étendue sablonneuse avant de s'asseoir sur un tronc d'arbre coupé. Enfin il se détendait, face aux vagues du Pacifique qui déroulaient sans relâche leurs eaux écumantes. Il chercha dans sa poche la photo de ses grands-parents.

Il étudia longuement leurs visages, en quête d'un indice qui expliquerait sa profonde mélancolie. Et brusquement il eut une sorte de révélation : s'il renonçait maintenant à Anna, il passerait le restant de ses jours à chercher une femme capable de la remplacer. Comme son grand-père. Comme lui, il finirait seul, aigri, incompris de tous.

— Anna Provo ! s'écria-t-il soudain en direction du ciel étoilé. Je t'aime, et je refuse de te perdre !

Il courut vers la route où il avait remarqué une cabine téléphonique, et composa le numéro d'Anna en retenant son souffle. Après ce qui lui sembla une éternité, on décrocha finalement :

— Allô ?

Joshua faillit exploser de rage en reconnaissant cette

voix : celle du jeune géant qu'il avait vu chez elle. Il se
contint néanmoins et, au prix d'un violent effort, déclara
avec calme :

— Ici Joshua Brandon. Anna est-elle là ?

— Non, mais je ne suis pas censé vous le dire.

Cette réponse naïve le déconcerta : ce rival faisait-il de
l'esprit ?

— Puis-je vous confier un message pour elle ?

— Bien sûr. Mais pourquoi vous n'êtes pas resté,
l'autre jour ?

— Comment ? s'exclama Joshua.

— Anna ne fait pas venir beaucoup d'amis, et moi,
j'aime bien qu'il y ait des invités. On aurait pu s'amuser.

Brusquement la lumière se fit dans l'esprit de Joshua.
Il avait imaginé Niki autrement, malingre et cloué à un
fauteuil roulant. Mais...

— Etes-vous Niki ? questionna-t-il avec circonspec-
tion.

— Sûr. Alors, pourquoi vous n'êtes pas entré ?

— Je suis désolé, Niki. J'étais pressé. Mais je pourrai
peut-être revenir. Demain, par exemple ?

— Oh, oui ! Je peux le dire à Anna, ou vous voulez
encore lui faire la surprise ?

— Je crois qu'il vaut mieux éviter les surprises pour le
moment. Prévenez-la que je rappellerai en fin de soirée.

Il se remettait à peine de son étonnement, lorsque
Martin prit le téléphone.

— Tu cherches quelqu'un, Josh ? taquina-t-il.

— Toi ? Mais que fais-tu là ?

— Comme d'habitude : j'essaie de réparer les dégâts
que tu as causés.

Il expliqua qu'Anna l'avait contacté en prétextant un
problème mineur avec sa voiture, mais elle cherchait en
fait à se renseigner sur Joshua. Aussi était-il passé la voir,

et il tenait momentanément compagnie à Niki car elle avait dû s'absenter.

— J'essaierai de la joindre vers dix heures et demie, répéta Joshua. Pourras-tu t'assurer que Niki la met au courant ?

— Mieux vaut tard que jamais, ironisa Martin.

Ils convinrent de se voir bientôt, puis raccrochèrent. Joshua sortit de la cabine et inspira à pleins poumons l'air frais de la nuit. Il avait l'impression d'émerger d'un cauchemar. Mais mêlé à son soulagement, il éprouvait de poignants remords. Quelle injustice alors qu'Anna était totalement innocente !

Lui pardonnerait-elle cette nouvelle méprise, tellement plus grave que la première ? Il allait devoir plaider sa cause de façon convaincante, et pour cela, mieux valait lui parler en personne.

Il regagna sa suite à l'hôtel et enfin vint l'heure de lui téléphoner. Les doigts tremblants, il composa son numéro.

Anna laissa passer plusieurs sonneries, délibérément. Elle avait attendu une semaine, Joshua pouvait bien patienter quelques secondes ! Elle se força à adopter un ton de voix détaché pour répondre :

— Allô ?

— Bonsoir, Anna. Ici Joshua.

— Niki m'a rapporté votre conversation.

— Avant que tu ne décides quoi que ce soit, laisse-moi m'expliquer, supplia-t-il hâtivement. Mais pas d'ici. Je suis à San Diego. Je pars par le premier vol, demain matin. Accepteras-tu de me voir ?

Elle était assaillie de doutes, tentée de mettre un terme immédiatement à leur relation. Pendant ces huit jours, elle avait tant souffert de ce rejet sans appel !

— Je ne sais pas, Joshua...

— Je t'en conjure, Anna, insista-t-il. Accorde-moi cet entretien. Puis si tu ne veux plus entendre parler de moi, je jure de respecter ta volonté.

— Très bien, capitula-t-elle. Appelle-moi de l'aéroport. Nous nous retrouverons chez Freddy.

Le bar constituait un terrain neutre, où elle pourrait conserver ses distances.

— Anna, reprit-il, doucement. Anna, je t'aime.

Puis il coupa sans lui laisser le temps de répliquer. Elle garda un long moment le combiné entre ses mains avant de le reposer. Des larmes de joie perlaient à ses cils. Elle serra ses bras sur sa poitrine et se mit à virevolter dans la pièce en murmurant pour elle-même : « Je t'aime, je t'aime »...

— Pourquoi tu danses toute seule ? L'interrogea Niki qui venait d'entrer dans la pièce.

— Parce que je n'avais pas de partenaire. Tu viens ?

Elle lui tendit les bras et ils se lancèrent dans une gigue endiablée, rythmée par une publicité télévisée.

Quand ils s'arrêtèrent, essoufflés, Niki ébouriffa les cheveux de sa sœur et commenta :

— Je crois que tu es un peu bizarre, mais ne t'inquiète pas, je ne le dirai à personne.

12

LES cris stridents des indiens affrontant les cow-boys à la télévision arrachèrent Anna à sa rêverie. Elle essayait d'imaginer comment se passeraient ses retrouvailles avec Joshua, et répétait mentalement ce qu'elle voulait lui dire. Mais comment se concentrer dans ce varcarme ?

Irritée, elle gagna le salon et enjoignit à Niki d'éteindre le poste.

— Je veux savoir qui va gagner ! protesta-t-il.

— Si tu arrives en retard à ton travail, tu ne pourras pas partir à l'heure, souligna-t-elle. Cela t'empêchera de dîner avec nous et de voir Joshua.

Il se leva et coupa le téléviseur avec un soupir d'exaspération.

— Ce que tu peux m'em... bêter, Anna !

Elle pinça les lèvres pour ne pas pouffer, et le regarda sortir, boudeur. Après son départ, elle put enfin réfléchir en paix. La semaine écoulée lui avait été si pénible qu'elle restait épuisée, les nerfs à vif. Joshua avait affirmé un jour en plaisantant qu'il lisait la rubrique « décès » dans les journaux; mais elle l'avait fait ces derniers temps le plus sérieusement du monde, tenaillée par l'angoisse.

Comme Douglas ne lui donnait pas de nouvelles, elle avait fini par contacter Tom.

— On ne l'a pas vu au bureau, avait-il confirmé. Il a quitté la ville, mais nul ne sait où le joindre. Y a-t-il un problème ?

— Oui, il a rencontré Niki chez moi et l'a pris pour mon amant.

Tom s'était esclaffé.

— Ce n'est pas étonnant ! Niki est beau à faire blêmir d'envie Adonis lui-même.

— Moi aussi, j'ai trouvé cela drôle. Mais Joshua ne partageait pas mon amusement.

— Ne t'inquiète pas. Un de ces jours tu le trouveras sur le pas de ta porte, plein de remords et les bras chargés de roses.

— J'en doute, mais merci de me rassurer. Embrasse Sue de ma part.

A présent que le calvaire prenait fin, elle oubliait sa rancune. Toute à sa joie de le revoir, elle rangea gaiement la maison, puis prit une longue douche bienfaisante. Les difficultés n'étaient certes pas résolues, mais la perspective d'en discuter enfin permettait au moins l'espoir.

Elle était en train de sécher ses longs cheveux lorsque le téléphone sonna. Joshua n'avait pas trouvé de place sur un vol direct ; de Portland où il faisait escale, il l'appelait pour l'aviser qu'il arriverait dans une heure. En proie à une surexcitation croissante, Anna passa sa garde-robe en revue avant de choisir une jupe en jean et une chemisette turquoise et blanche. Pour compléter sa tenue, elle noua un pull en coton blanc autour de ses épaules, enfila des sandales en toile, et accrocha de fins anneaux d'or à ses oreilles. Et parce que Joshua la préférait ainsi, elle laissa cascader sa lourde chevelure cuivrée dans son dos.

Il lui restait assez de temps pour passer au marché, acheter les ingrédients nécessaires à un agréable dîner. Une fois réunies les composantes du bortsch qu'elle cuisinait à la perfection, elle passa à la boulangerie et choisit du pain noir et du gâteau au fromage. La touche qui ferait vraiment de ce repas une fête serait apportée par du caviar fin, qu'elle alla naturellement chercher à la boutique de ses parents.

Quand elle entra, Mme Provoloski tournait le dos à la porte. Anna s'avança derrière elle et referma ses bras sur sa taille replète.

— Bonjour, *mama*. Comment va le monde ?

— *Vsio proïdiot*. Tout ira bien, si Dieu le veut.

Anna trouvait touchant et rassurant que sa mère réponde toujours ainsi à cette question. Elle alla prendre un pot de caviar sur le rayon et le posa à côté de la caisse.

— Niki dîne chez moi, mais je te le ramènerai ensuite, annonça-t-elle. Cela ne te dérange pas ?

— Bien sûr que non, mais pourquoi ? Tu le gardes toujours à dormir, d'habitude.

— Ce soir je serai occupée.

— Voilà pourquoi ma fille est si belle ! jubila mama. Tu vas revoir ce Joshua.

— Peut-être...

— Sûrement ! C'est bien.

Anna s'attendait tellement à un nouveau sermon sur l'art d'être une vraie femme pour mieux séduire un homme, que le silence qui suivit la déconcerta.

— Tu ne me dis rien de plus ? s'étonna-t-elle.

— Si : passe une bonne soirée.

— *Mama* ! Tu n'es pas malade, au moins ? Pourquoi ne me fais-tu pas de discours ?

— Parce que les conseils que j'aurais à te donner sont

trop importants. Je me tairai jusqu'à ce que tu sois prête à les entendre.

Une telle discrétion de sa part était impressionnante. Jamais auparavant elle n'avait hésité à prodiguer ses avis. Emue, Anna prit sa main par-dessus le comptoir, et murmura :

— Je t'écoute, *mama*.

Mme Provoloski eut encore quelques instants de réticence. Puis, regardant sa fille droit dans les yeux, elle déclara :

— Une femme ne peut traverser la vie entière sans courir de risques. Si elle évite tous les dangers, elle reste incomplète. Toi, tu as toujours voulu rester à l'abri. Mais ce soir, avec ce Joshua, prends le pari.

— Le pari ?

— Oui. Aujourd'hui, et demain, et après-demain. Parie chaque jour, désormais. Et maintenant va-t-en vite. J'ai trop de travail pour bavarder avec toi toute la journée.

Elle la renvoya avec un baiser sur la joue et Anna, désemparée, s'éloigna. Préférant oublier les graves propos de sa mère, elle se hâta de rentrer chez elle. Prendre des risques ? Sceptique, elle entreprit de confectionner son bortsch, qui mijoterait durant l'après-midi.

Pendant qu'elle épluchait les betteraves, Joshua, dans l'avion qui descendait vers Seattle, consulta une dernière fois ses notes. Il avait griffonné sur un papier la stratégie à employer pour sa défense. Le mieux, étant donné son comportement odieux, serait de commencer par présenter ses plus plates excuses...

Quand il eut récupéré ses bagages, il téléphona à Anna. Ils convinrent de se retrouver vingt minutes plus tard chez Freddy.

Joshua se gara devant le pub, juste derrière Elizabeth.

Avec une sourde angoisse chevillée à l'âme, il descendit de voiture. Pourvu qu'elle l'entende ! Qu'elle ne refuse pas de redonner un sens à sa vie !

Dans la pénombre du bar une voix calme l'apostropha :

— Par ici, Joshua.

En arrivant auprès d'elle il prit la main d'Anna et déposa un baiser sur sa paume.

— Merci d'être venue.

— Que veux-tu boire ? s'enquit-elle en se dégageant.

— Un café.

La jeune femme restait distante, sur ses gardes. Joshua attendit en pianotant nerveusement sur la table que le serveur ait apporté sa consommation, afin que leur conversation ne soit pas interrompue. Enfin il rassembla tout son courage et se lança :

— Anna, pardonne-moi de ne pas t'avoir appelée. Mon grand-père est décédé, et j'étais retenu à San Diego pour régler les problèmes de succession.

Il avait une mine hagarde; visiblement ce deuil l'avait profondément affecté. Anna se sentit émue, et murmura avec compassion :

— Je suis désolée. Je n'en avais pas idée.

— Evidemment ! J'étais venu te l'annoncer, ce matin-là, mais mon emportement a tout gâché.

Il fixa quelques minutes sa tasse pleine. Tous ses discours préparés à l'avance lui paraissaient à présent tellement dérisoires ! Jamais il n'avait éprouvé une telle peur. Il dut se faire violence pour oser lever la tête et affronter le regard ambré de sa compagne.

— Anna, je t'aime, reprit-il. J'ai proféré contre toi des accusations ignobles que je regretterai toujours. Maintenant, je sais que l'homme que j'ai vu chez toi était Niki. Mais j'ai imaginé le pire.

Anna se contenta de hocher la tête en silence.

— L'idée de te partager avec un autre m'était intolérable, enchaîna-t-il. Je suis devenu fou de jalousie.

— Je porte ma part de responsabilité, admit-elle. Tu es revenu pour une explication, mais j'ai refusé.

— Je ne t'en blâme pas. J'aurais sans doute agi de même.

— En fin de compte, aucun de nous ne s'est comporté en adulte, conclut-elle en souriant.

Il scruta avec remords ses grands yeux en amande.

— C'est surtout quand tu as ri, que je me suis senti bafoué. C'est pourquoi je ne t'ai pas recontactée. Ton frère handicapé, je ne le voyais pas du tout ainsi.

— Beaucoup de gens commettent la même erreur…

Hésitant, il prit sa main dans la sienne.

— Je t'aime, Anna, répéta-t-il.

Comment lui résister ? Elle soupira :

— Que vais-je faire de toi ?

— M'aimer ? suggéra-t-il hardiment.

— C'est déjà le cas…

Du bout des doigts elle traça le contour de sa bouche sensuelle, avant de l'embrasser.

— Rentrons à la maison, murmura-t-elle.

— Si tu savais comme cette perspective est délicieuse, après huit jours d'hôtel !

Au volant de sa Jaguar, il la suivit en songeant qu'il avait effectivement l'impression de « rentrer à la maison ». Une fois chez elle, ils se contemplèrent un moment en silence. Puis Anna s'approcha de lui et caressa langoureusement ses épaules, sa taille, son torse, pour le sentir frémir à son toucher.

— Cette semaine a été longue, souffla-t-il.

— Interminable… Il fait chaud, chuchota-t-elle en lui ôtant son veston. Très chaud, même. Tu dois étouffer.

A chaque phrase elle le dépouillait successivement de sa cravate, de sa chemise. Elle recula d'un pas pour admirer sa poitrine de statue grecque; elle avait tant craint de ne plus le revoir !

— Il n'a pas l'air sale, commenta Niki.

Les deux jeunes gens sursautèrent et se tournèrent vers la cuisine. Niki les observait en croquant une pomme.

— Joshua n'a pas l'air sale, répéta-t-il. Pourquoi veux-tu lui faire prendre une douche ?

Pour lui, évidemment, il ne pouvait y avoir d'autre raison de se dévêtir ainsi en pleine journée.

— Que fais-tu ici ? questionna sèchement Anna.

— J'ai fini mon travail, répliqua Niki en allant allumer le téléviseur.

Joshua arborait une expression gênée et il se rhabilla avec une hâte maladroite. De sa vie il n'avait subi une intrusion aussi inopportune.

— Non, Niki. Pas de télévision, ordonna Anna.

— Je n'ai rien fait ! protesta-t-il. C'est lui qu'il faut gronder.

— Moi ? s'insurgea Joshua. Pourquoi donc ?

— Parce que tu as jeté tes affaires partout. Anna a horreur qu'on fasse du désordre.

La jeune femme retint son souffle; comment allait se dérouler cette confrontation entre les deux hommes ? Joshua accepterait-il Niki ?

Il marqua un instant d'hésitation, puis s'esclaffa joyeusement et ramassa son veston et sa cravate.

— Tu as raison, Niki, convint-il. Je suis très mal élevé. Quant à cette douche... ce sera pour plus tard.

— Bonne chance, rétorqua Niki d'un air complice, en désignant Anna du menton. Moi, elle m'oblige toujours à me laver.

— Je suis nouveau, ici, répliqua Joshua sur le même ton. Elle fera peut-être une exception pour aujourd'hui.

— Eh bien, je n'ai pas besoin de vous présenter, dirait-on, intervint Anna.

— Non, confirma Niki. Je sais qui il est, et qui je suis. Si on mangeait ? suggéra-t-il. J'ai faim.

— Moi aussi, renchérit Joshua.

Elle leur sourit, radieuse.

— Je vais finir de préparer le repas. Pendant ce temps-là, mettez la table.

Le dîner fut dégusté dans une agréable atmosphère de détente. Joshua expliqua les principes élémentaires de la navigation à voile, et promit d'emmener bientôt Anna et Niki sur son voilier. Tout en empilant les assiettes vides, il commenta :

— Je te félicite pour tes talents culinaires ! Ce bortsch était délicieux.

— Merci. Veux-tu du gâteau au fromage ?

— Moi, oui, lança Niki. Pourquoi tu ne m'as pas dit que nous en aurions au dessert ?

— C'était une surprise.

— Tu dois être quelqu'un de spécial, observa-t-il à l'adresse de Joshua. Anna n'achète presque jamais de gâteau au fromage. Pourtant, à te regarder, tu as l'air normal...

Anna n'y avait jamais réfléchi, mais en effet, cette pâtisserie russe avait toujours été présente pour elle lors des grandes occasions. Bouche bée, elle écouta Niki exposer à Joshua sa théorie à ce sujet. Quelle surprenante finesse pouvait avoir ce frère « débile » !

Ainsi, inconsciemment, elle célébrait de cette façon un événement marquant : le début d'une ère nouvelle dans sa relation avec Joshua. Elle alla embrasser Niki sur la joue, et déclara :

— Tu as entièrement raison : c'est la fête aujourd'hui.

— Un anniversaire ?

— Non, un ami. Joshua mérite d'être fêté, non ?

Elle regretta aussitôt sa question, car Niki risquait de répliquer avec sa brutale franchise. Pour l'en empêcher, elle lui demanda de débarrasser la table pendant qu'elle servait le café.

— As-tu peur de sa réponse ? murmura Joshua.

Décidément, il était doté d'une redoutable perspicacité ! Voyant Anna embarrassée, il poursuivit :

— Evidemment, il ne risque pas de me porter aux nues, il me connaît à peine ! Ne t'inquiète donc pas tant, Anna. Il m'est sympathique, et son opinion ne m'effraie pas.

— Pardonne-moi. Mais il parle sans détours, tu sais.

— Je ne suis pas si fragile. Je peux supporter qu'on me bouscule un peu.

— Comme lundi matin ? rappela-t-elle.

— Cette fois-là j'ai mal réagi, c'est entendu. Nul n'est parfait.

— Qu'est-ce que vous avez à chuchoter, tous les deux ? s'enquit Niki qui s'affairait devant l'évier.

La sonnerie du téléphone retentit à point nommé pour dispenser Anna de répondre. Un inspecteur de police avait besoin d'elle au palais, ainsi qu'il arrivait fréquemment durant le week-end.

— Pourrez-vous vous débrouiller sans moi un moment ? demanda-t-elle en regagnant la cuisine. Je dois aller signer un mandat de perquisition, si les motifs le justifient.

— Bien sûr, nous tiendrons le siège, assura Joshua.

— On va être attaqué ? s'inquiéta Niki.

— Non, c'est une expression... commença Anna.

Mais Joshua te l'expliquera lui-même, ajouta-t-elle avec un sourire. A tout à l'heure !

Elle les embrassa tous les deux et partit en enfilant un blazer.

— C'était une image, une façon de parler, précisa Joshua.

— Je sais, Anna en utilise aussi. Je suis souvent ridicule, parce que je suis bête.

Une telle dépréciation de lui-même heurta Joshua, et réduisit à néant une autre de ses idées préconçues : il avait toujours cru les arriérés mentaux inconscients de leurs inaptitudes, des « imbéciles heureux » selon la formule consacrée. Mais visiblement, Niki souffrait de ses limites.

— Moi aussi, il m'arrive d'être bête, compatit Joshua.

— Comment cela ? s'étonna Niki.

— Un jour j'ai pris une bombe de laque pour du déodorant. J'ai cru que je ne pourrais plus décoller mes bras !

Niki s'esclaffa, et renchérit :

— Moi, j'ai rempli le sucrier de sel !

— Tu vois ? Nous ne sommes pas si différents.

— Peut-être, concéda Niki. Tout de même j'aimerais bien apprendre les choses plus facilement.

— Veux-tu que je t'enseigne quelques nœuds de marin ? Tu pourras m'aider quand nous ferons de la voile.

— Je ne sais pas si j'y arriverai…

— J'en suis sûr ! Apporte-moi deux bouts de corde, nous allons voir cela.

Quand Anna rentra, ils en étaient à leur troisième type de boucle. Niki bondit pour montrer fièrement son œuvre à sa sœur.

— Regarde, Anna ! Je parie que tu ne pourrais pas en faire autant.

— Je suis capable d'attacher mes lacets, ne m'en demande pas plus. Montre-moi comment tu t'y prends.

Un sourire d'orgueil aux lèvres, il se concentra et parvint à reproduire sans erreur le double nœud.

Anna profita de sa joie pour lui annoncer :

— Mets ta veste, grand frère. Papa et mama t'attendent.

— Déjà ?

— Oui, il est temps. Joshua et moi allons te reconduire.

— Emporte ceci, suggéra Joshua. Tu pourras leur faire une démonstration de tes talents.

Ravi à cette idée, Niki s'habilla sans plus émettre d'objection.

Une fois seul avec Anna, Joshua exhala un soupir de soulagement. L'après-midi passé avec Niki n'avait pas manqué de charme, mais quelle longue interruption dans leurs retrouvailles !

Dès qu'ils furent chez elle, il boucla le verrou de la porte pour garantir leur tranquillité. Puis il put enfin enlacer la jeune femme, la serrer contre lui comme il brûlait de le faire depuis des heures. Elle laissa tomber son sac et noua ses bras autour de lui, ivre de bohneur.

Puis Joshua s'écarta et, avec une feinte nonchalance, la débarrassa de son blazer avant d'ôter son propre veston. Il rangea les vêtements dans la penderie, puis vint dégrafer la jupe d'Anna; à présent ses doigts tremblants trahissaient le trouble que masquait son sang-froid. Quand il l'eut dépouillée également de son corsage, elle se tint devant lui dans son caraco de soie incrusté de dentelle.

Encouragée par son regard avide, elle s'avança vers lui

et défit sa cravate, puis sa chemise. Comme elle recula d'un pas pour le contempler, il murmura :

— Tu ne vas pas t'arrêter en si bon chemin ?

Elle acheva donc de le dévêtir, amusée de ce pouvoir qu'il lui conférait. Prise au jeu, elle saisit impulsivement sa main et l'entraîna dans la salle de bains. Là, elle ouvrit à fond les robinets de la douche, et avec une exaspérante lenteur enleva sa lingerie délicate. Puis elle se mit sous le puissant jet tiède, et tira Joshua vers elle.

La sensualité de l'eau et de la mousse exacerba leur désir, tandis qu'ils se savonnaient mutuellement. Leurs paumes glissaient sur les courbes fermes de leurs corps en arabesques délicieuses. Incapable de résister à la rondeur sublime des seins d'Anna, Joshua se pencha pour en embrasser les pointes nacrées. Elle laissa échapper un gémissement, et finalement supplia dans un souffle :

— Aime-moi, Joshua. Aime-moi…

Sans attendre, il coupa la douche et souleva la jeune femme pour la porter dans la chambre. Il la déposa, ruisselante, sur le couvre-lit en velours, puis la rejoignit.

Elle pensait avoir déjà atteint les sommets de l'exaltation, mais quand il s'appliqua à effacer du bout des lèvres toute trace d'eau sur sa peau, elle se sentit frôler le délire.

Pendant qu'il s'inclinait sur elle, elle promena ses doigts sur ses épaules et son torse, l'effleurant avec une légèreté insoutenable. Il murmura son nom, et enfin s'étendit sur elle en l'étreignant avec ferveur. Un long frémissement les parcourut tous les deux quand ils ne furent plus qu'un, comme chacun l'avait tant souhaité.

Alors commença une danse mystérieuse dans laquelle ils renonçaient à tout contrôle, à toute pensée pour se laisser guider uniquement par un instinct éternel. Au paroxysme du plaisir, Anna noua ses jambes autour des reins de Joshua. Leurs transports culminèrent en une extase inouïe, ineffable.

Longtemps ils restèrent silencieux, presque effrayés par l'intensité de leur passion. Blottie contre Joshua, Anna rêvait à ce que serait une vie avec lui; un bonheur infini, fou...

— Anna ?

— Oui ?

— Sais-tu que tu es extraordinaire ?

— Non, mais je suis sûre que toi, tu l'es.

Elle se redressa sur un coude pour scruter les yeux brillants de Joshua.

— Nous pourrions fonder une « Amicale des admirateurs réciproques » ? plaisanta-t-elle.

— La cotisation serait facile à payer : nuit après nuit, comme celle-ci...

13

LES ondées nocturnes avaient cédé la place à un soleil radieux, qui faisait étinceler la chaussée mouillée. Anna ferma avec peine le coffre de la Jaguar, plein à craquer de matériel de camping. Puis elle s'installa avec un soupir de contentement sur le siège du passager et boucla sa ceinture de sécurité.

Joshua et elle se rendaient à la fête annuelle de famille « famille » au sens très élargi. Vingt ans plus tôt, Papa Provo emmenait chaque année sa femme et ses enfants cueillir avec lui l'écorce de bouleau qu'il travaillait. Peu à peu, leurs amis s'étaient joints à eux pour la récolte. Tant et si bien que cette occasion était devenue une tradition pour eux tous, tradition à laquelle Joshua allait être initié ce week-end.

La plupart des campeurs étaient partis dès le vendredi matin. Mais des problèmes professionnels avaient retardé Joshua et Anna jusqu'au samedi. Elle se remémora avec plaisir la semaine écoulée; ils avaient été très occupés, tous les deux, mais Joshua avait trouvé le temps de lui consacrer toutes ses soirées. A chaque visite, ses liens avec Niki s'étaient renforcés.

Emue, elle l'étudia furtivement. Sous des dehors un

peu rudes, Joshua était bien l'homme le plus attentionné et le plus tendre qu'elle ait jamais connu.

Pendant qu'ils suivaient l'Auburn Valley, la senteur riche des champs de fraisiers leur parvint dans la voiture. Joshua n'était pas venu par là depuis tant d'années ! Ce moment lui rappelait les longs après-midis de juin de son enfance.

— Maurice détestait cela, mais pour ma part j'adorais aider Douglas à ramasser les fraises, raconta-t-il. Evidemment, j'en mangeais au moins autant que j'en mettais dans le panier ! Il me semble encore en sentir le goût.

— Achetons-en une barquette pour le petit déjeuner, suggéra-t-elle.

Il eut un sourire enfantin, et se gara devant le stand suivant. Anna lava les fruits au robinet extérieur de la ferme. Quand ils se remirent à rouler, elle en plaça un entre les lèvres de Joshua.

— Mmm, grogna-t-il avec ravissement. Je n'ai jamais rien goûté de plus délicieux... Hormis toi, bien sûr, ajouta-t-il en la détaillant d'un air gourmand.

— Veuillez vous concentrer sur la route, maître ! Je ne tiens pas à me retrouver dans le fossé.

Elle ouvrit le thermos de café et en remplit une tasse qu'ils partagèrent. L'autoroute traversait la réserve des Indiens Muskleshoot. Joshua ralentit et scruta avec attention ce paysage qu'il avait oublié.

Tout en conduisant, il se remémora un incident cocasse avec Niki.

— Le poulet sera-t-il bon ? s'enquit-il en riant.

Anna s'étrangla sur la gorgée qu'elle avalait. Deux jours plus tôt, elle avait chargé son frère de nettoyer la volaille qu'elle comptait rôtir pour le pique-nique. Pendant qu'elle enroulait les sacs de couchage, il avait consciencieusement rempli l'évier d'eau savonneuse. Joshua l'avait trouvé en train de frotter le volatile avec application. Comment le lui reprocher ? Il prenait toute consigne au pied de la lettre; il aurait fallu lui dicter avec précision la marche à suivre.

— J'ai apprécié ta discrétion, remarqua-t-elle.

— J'ai eu besoin de tout mon sang-froid pour ne pas m'esclaffer !

— Ce qui l'aurait humilié, alors que ton attitude respectait sa dignité, souligna-t-elle doucement.

Il éclata à nouveau de rire.

— Mais si tu avais vu ton expression ! s'exclama-t-il. Irrésistible !

— Malgré toutes ces années, Niki a encore l'art de me désarçonner totalement, reconnut-elle en pouffant.

La puissante Jaguar gravit facilement la côte ardue vers Chinook Pass. Sur le flanc de la montagne étincelaient les grandes cascades. Les jeunes gens se turent, subjugués par la beauté des sommets enneigés. Une splendeur dont leur amour partagé les rendait plus conscients encore.

Au moment de franchir le col, Joshua se gara sur le bas-côté et prit son appareil photo dans la boîte à gants.

— C'est trop magnifique, déclara-t-il. Laisse-moi te photographier dans ce cadre.

Après plusieurs prises de vues, il s'estima satisfait. Un groupe de personnes âgées descendues d'un autocar l'aborda pour le prier de les immortaliser devant le Mont Rainier. Il s'exécuta volontiers, et Anna sourit de voir la joie de ces touristes. Comme il était facile de faire plaisir aux gens, avec un minimum de gentillesse ! Et Joshua n'en manquait pas…

A cette altitude la température était fraîche, malgré l'approche de l'été. Anna claquait des dents quand ils regagnèrent le véhicule. Joshua lui offrit sa canadienne et alluma le chauffage.

Quelque trois quarts d'heure plus tard, après avoir longé la rivière Naches, ils atteignirent enfin Squaw Rock. Anna aperçut la camionnette de son père, garée à son emplacement favori.

Les amis réunis autour du feu de camp n'avaient pas remarqué les arrivants. Bras dessus, bras dessous, ils les rejoignirent avant de les saluer à la cantonade :

— Bonjour, tout le monde !

Mama bondit de sa chaise pliante et accourut vers Joshua pour le présenter fièrement :

— Et voici l'ami de notre *Aniouchka*.

Il fut aussitôt accueilli avec enthousiasme, par des voix s'exprimant dans des accents divers. Emu, il songea que les nations de la terre semblaient presque toutes représentées, ici.

Papa Provo vint embrasser sa fille.

— Nous craignions que tu ne puisses pas venir.

— Je n'aurais pas manqué cela pour tout l'or du monde, *papa*.

— Joshua pouvait avoir envie de te garder pour lui.

— Joshua ? Il était encore plus impatient que Niki !

Souriant, il se pencha pour murmurer à son oreille :

— C'est un homme bien. Nikolaï n'a plus que son nom à la bouche.

— Je vais te confier un secret, *papa* : je l'aime, et il m'aime. Es-tu surpris ?

Une tendre lueur brilla dans ses yeux noisette, et il répliqua à voix basse :

— Surpris ? Non. Je l'ai su sitôt que je l'ai vu. Mais vous deux avez mis plus longtemps à comprendre.

— Tu as toujours été plus intelligent que moi, chuchota-t-elle en l'étreignant.

Pendant ce temps, Joshua répondait aux questions dont il était bombardé. Anna vint à sa rescousse en proposant de lui faire visiter le petit village de vacances.

Une maison en rondins faisait office d'épicerie, de poste à essence, et de bureau d'accueil. Un vaste abri équipé d'une immense cheminée de pierre surplombait le fleuve. Des cabanes rustiques s'étageaient sur la rive; et entre elles avaient été prévus de nombreux emplacements de camping.

Le jeune couple aboutit à la rivière, où Niki se précipita de sa démarche gauche dès qu'il les aperçut.

— Tu veux voir mon coin de pêche préféré, Josh ? questionna-t-il d'emblée.

— Eh bien, euh…

Il chercha le regard d'Anna; l'idée de se consacrer déjà à Niki alors qu'il souhaitait rester avec elle ne l'enchantait guère. Mais elle ne perçut pas son muet appel à l'aide, ou du moins ne le montra pas.

— J'en serais très honoré, capitula-t-il. La plupart des pêcheurs gardent jalousement leurs secrets.

— Je n'emmène que les gens que j'aime bien.

Joshua lui sourit, puis demanda avec espoir :

— Cela ne te dérange pas, Anna ?

— Pas le moins du monde. Pendant que vous taquinerez la truite, je vais retourner au campement. A plus tard.

Assise parmi ses amis à bavarder, elle perdit vite la notion du temps. Leurs vies avaient beau être aussi disparates que les produits qu'ils vendaient sur le marché, ils avaient en commun un passé analogue. Tous étaient en effet des immigrés de première ou de deuxième génération, qui avaient adoptés leur nouvelle patrie sans pour autant renoncer à leur héritage culturel. Heureux d'être ensemble, ils se racontaient des anecdotes ou discutaient les activités du week-end, de sorte à accumuler le maxi-

mum de plaisir dans ces deux journées de liberté partagée.

Les préparatifs du dîner étaient en cours lorsque Joshua et Niki regagnèrent le camp. Niki poussa un long
soupir et s'allongea dans l'herbe.

— Joshua adore la marche à pied, se plaignit-il. On a
dû faire au moins mille kilomètres !

— Sûrement ! fit en riant Anna. Où êtes-vous allés ?

— Les vers de terre ne plaisaient pas aux poissons,
alors Joshua a décidé de chercher des chamois.

— En avez-vous trouvé ?

— Non, seulement une vieille cabane qui s'écroulait.
Elle était pleine d'oiseaux.

L'air ravi de sa découverte, Joshua exhiba une paire de
souliers montants noirs. A l'intérieur étaient restés les
vestiges d'un nid, et des brins d'herbe avaient été tissés
autour des minuscules boutons.

Anna s'en empara avec précaution, émerveillée par la
finesse du travail.

— Joshua les a ramassés dans un coin tout poussié-
reux, précisa Niki. Moi je n'osais pas y aller, au cas où il y
aurait eu un ours.

— Un ours couvert de poussière ? fit-elle, sceptique.

— On ne sait jamais, rétorqua-t-il avec indignation. Je
ne vais pas me laisser manger par Sasquatch !

Il n'avait jamais oublié un film contant la légende de
cette créature tirée de la mythologie indienne.
Mi-homme, mi-primate, Sasquatch hantait les fôrets du
Yukon et de la Californie nord, dévorant les malheureux
chasseurs isolés. Anna avait dû rassurer Niki après
maints cauchemars engendrés par ces images.

— Sasquatch n'existe pas, affirma-t-elle fermement.

— Prouve-le moi, exigea-t-il.

— Quoi qu'il en soit, nous avons pensé que ces bottes

te plairaient, intervint Joshua. Nous les avons ramenées pour toi.

— Merci à tous les deux, vous êtes des amours, déclara-t-elle en les gratifiant chacun d'un baiser sur la joue.

En la voyant si contente, Niki cessa de bouder et prit conscience de la faim qui tiraillait son estomac.

— Quand est-ce qu'on mange ? s'enquit-il.

— Tu ne penses donc qu'à cela ? réprouva gentiment *mama* qui les avait rejoints.

— Sauf quand je dors, répliqua-t-il avec le plus grand sérieux.

— Eh bien, tu n'auras pas besoin de te coucher, car le dîner est presque prêt. Va donc te laver les mains.

Avant le repas, Anna entraîna Joshua à l'écart, et l'embrassa plus à son aise. Puis elle le questionna malicieusement :

— Aurais-tu par hasard traîné Niki par monts et par vaux à seule fin de l'épuiser ?

— Je l'avoue, votre honneur. Ce garçon semble me considérer comme son compagnon de jeux attitré !

— Il est vrai que tu ressembles assez à un gros nou-nours, taquina-t-elle.

— Grr, grogna-t-il en faisant mine de la dévorer. Je suis affamé, tu devrais me nourrir.

Les campeurs commençaient déjà à défiler devant les tables chargées de mets appétissants. Joshua voulut échantillonner chaque plat, mais après son exploit dut s'étendre sur un banc.

— Il va me falloir une semaine pour digérer tout cela, gémit-il, la tête sur les genoux d'Anna.

— Trois heures suffiront, à mon avis, rectifia-t-elle en caressant ses cheveux.

— À moins d'un miracle, je ne...

— Regarde, coupa-t-elle. La fête va commencer.

Elle désigna un groupe qui s'assemblait avec des instruments — violon, guitare, ainsi que la balalaïka de Papa Provo. Ils jouèrent quelques sérénades pendant que les autres débarrassaient les restes et lavaient la vaisselle. Puis tous se dirigèrent vers l'esplanade couverte, au bord du fleuve, qu'ils réservaient chaque année.

Les musiciens entamèrent une mélodie endiablée, et les danseurs firent la ronde. Les femmes formèrent un petit cercle, et les hommes les entourèrent en tournant en sens inverse. Le rythme s'accéléra, scandé par les cris joyeux.

Joshua ne connaissait pas l'enchaînement des figures, mais s'évertua à suivre tant bien que mal. Quand enfin la musique cessa, il s'effondra sur une chaise, haletant.

— Qu'est-ce que c'était ? demanda-t-il à Anna, d'une voix entrecoupée.

— Une bourrée auvergnate. Ce nom soulage-t-il tes palpitations ?

— Non. Mais je préfère savoir de quoi j'ai failli mourir.

Elle prit un mouchoir dans sa poche et tamponna le front ruisselant de Joshua.

— Au fil des années nous avons emprunté aux traditions de chacun, et acquis un répertoire très cosmopolite, expliqua-t-elle.

Pantelant, Joshua observa les couples qui claquaient des talons au son d'un fandago espagnol. Les sismographes du Mont Saint Helen voisin devaient enregistrer les assourdissantes secousses qu'ils provoquaient, songea Joshua.

— Viens, l'encouragea Anna en le tirant par la main. Avant la fin de la soirée tu seras un expert.

— J'en doute, mais j'aurai au moins perdu trois kilos, geignit-il en la suivant de bonne grâce.

Des heures durant, il s'adonna ainsi à des gigues plus épuisantes les unes que les autres. Aux rares moments où Anna acceptait un autre cavalier que lui, il était aussitôt happé par *mama* qui lui montrait en riant les mouvements à suivre.

Il s'arrêta le premier, et contempla Anna qui virevoltait encore sur le plancher. Les joues roses de plaisir, elle tournoyait gaiement en faisant voler derrière elle sa chevelure cuivrée. Quand elle le rejoignit il embrassa son visage brûlant, et ils se levèrent tandis que les musiciens rangeaient leurs instruments. Tendrement enlacés, ils marchèrent jusqu'à la Jaguar. Ils étaient convenus de s'éclipser discrètement pour passer la nuit ensemble dans un camping voisin; leur liaison avait beau être affichée, ils ne voulaient embarrasser personne par trop d'ostentation.

Grelottant dans la fraîcheur nocturne, ils se hâtaient pour se mettre à l'abri dans la voiture. Niki les rattrapa tout de même et agrippa l'épaule de Joshua.

— J'ai planté la tente, Josh, annonça-t-il.

— Bravo, le complimenta Joshua.

— Ton sac de couchage est à côté du mien, mais je n'ai pas trouvé ton pyjama.

Interdit, Joshua se tourna complètement vers lui; apparemment Niki comptait dormir en sa compagnie.

— Mais je vais coucher ailleurs... bredouilla-t-il.

— C'est toujours comme cela que nous faisons, l'interrompit Niki. Anna prend l'arrière de la camionnette, et moi ma canadienne. Il y a assez de place pour toi, tu sais, supplia-t-il.

Joshua considéra le minuscule abri de toile. L'idée de s'y installer avec l'immense Niki n'avait rien d'enthou-

siasmant. Et Anna, au lieu de le tirer d'affaire, observa
en pouffant :

— Eh bien, je crois que Niki a pensé à tout.

— Euh, je... Oui, on le dirait. Es-tu sûr que nous
tiendrons à deux là-dedans, Niki ?

— Sûr, Josh. Tu vas voir, c'est très amusant.

— Dommage que tu aies oublié ton pyjama, remarqua Anna.

— Je n'en possède pas, marmonna-t-il.

— Je t'en prêterai un des miens, assura Niki, magna-
nime. Un vieux, rayé rouge et bleu.

— Parfait, répliqua Joshua, maussade. Laisse-moi
dire bonsoir à Anna, Niki, et je te rejoins.

Aussitôt qu'ils furent seuls, il la souleva de terre pour
l'emporter dans le camion. Anna poussa un cri de feinte
protestation.

— Joshua, pose-moi tout de suite !

— Pas question. A moins que tu ne trouves un stratagème génial, je ne vais plus pouvoir te toucher. Et crois-
moi, passer la nuit avec Niki dans cette espèce de tipi
miniature ne m'enchante pas outre mesure.

— Pauvre chéri, compatit-elle, moqueuse. Crois-tu
pouvoir y survivre ?

— J'en doute, maugréa-t-il. Avec ma chance, ton
géant de frère m'écrasera dans son sommeil en se retournant.

Sans relâcher son étreinte, il embrassa Anna dans le
cou et huma la fraîche senteur de ses cheveux.

— Quelle torture cela va être, de te savoir si proche
mais coupée de moi ! se plaignit-il. Ne puis-je refuser ?

— Pas sans causer un drame, chuchota-t-elle. Mais
songe que de cette façon, tout le monde s'imaginera que
l'homme que j'aime est un véritable gentleman. Je

n'avouerai à personne qu'en réalité tu n'es qu'un séducteur éhonté.

Elle le gratifia d'un court baiser, puis s'échappa et s'enferma dans la camionnette. Par la vitre, elle le regarda partir en traînant les pieds vers la tente de Niki.

Aux premières lueurs de l'aube, les campeurs se levèrent, et certains pêchèrent de belles truites dans la rivière. Après le délicieux petit déjeuner agrémenté des poissons grillés au feu de bois, Joshua et Anna parvinrent à s'esquiver.

Sous les branches d'un mélèze géant, ils s'enlacèrent avec l'impression d'avoir été séparés depuis des mois. Ils échangèrent un fougueux baiser, avides de se désaltérer chacun à la bouche de l'autre. Mais le craquement de brindilles piétinées mit fin à leurs caresses enfiévrées.

— Anna ? appela la voix de Niki. Où est-ce que tu te caches ?

Elle soupira, puis, à contrecœur, répondit :

— Ici.

Il eut tôt fait de les rejoindre et s'enquit :

— Qu'est-ce qu'on fait, maintenant ? Je m'ennuie.

— Ne devais-tu pas aller ramasser de l'écorce avec *mama* et *papa* ?

— Je connais cela par cœur. Je préfère rester avec toi et Josh.

Ce dernier s'était détourné pour masquer son exaspération. Il contempla la rivière tumultueuse qui serpentait entre les pics rocheux, et se sentit pareil à elle : obligé de dévier sans cesse ses projets à cause des intrusions de Niki, et furieux de cette situation. Anna perçut son irritation, et posa une main apaisante sur son dos.

— De quoi as-tu envie ? demanda-t-elle à Niki.

— On pourrait aller en ville ?

Anna embrassa Joshua derrière l'oreille, et proposa doucement :

— Veux-tu visiter Naches ?

— Bonne idée, convint-il, ayant maîtrisé son humeur.

Ils gagnèrent le village en voiture, et déambulèrent sans hâte à travers les rues étroites. Après avoir exploré les boutiques d'artisanat local et le magasin d'antiquités, ils entrèrent chez un photographe. Sa spécialité était d'effectuer des tirages en tons sépias, d'apparence ancienne, et en costumes d'époque. Tout en examinant les tenues disponibles, Joshua eut une inspiration; il se rappela la photo de ses grands-parents, et eut envie d'un portrait analogue de lui avec Anna.

Il proposa un ensemble à la jeune femme, qui accepta volontiers. Pendant qu'il cherchait des vêtements pour lui-même, Niki vint auprès d'eux.

— Et moi ? questionna-t-il. Je pourrais me déguiser aussi et poser avec vous ?

— Je voudrais une photographie de couple, Niki, expliqua Joshua. Cela ne t'ennuie pas ?

— Non, bougonna-t-il avec dépit.

— J'ai une autre idée pour toi, suggéra Anna en montrant un chapeau à larges bords et des bottes. Si tu t'habillais en vrai cow-boy, avec tous les accessoires ?

— Est-ce que je devrai monter à cheval ?

— Non, assura Joshua. Il n'y en a pas, ici.

— Bon, accepta-t-il, consolé.

Un quart d'heure plus tard, tous trois attendaient dehors que les clichés soient développés, en dégustant des cornets de glaces. Joshua réfléchissait au moyen de passer un moment seul avec Anna, avant la fin de ce dimanche. D'un air innocent, elle proposa à brûle-pourpoint :

— Si nous faisions une promenade à cheval, ensuite ?

Joshua n'avait pas pratiqué l'équitation depuis des années, mais cela passerait agréablement le temps.

— Je suis partant, acquiesça-t-il.

— Pas moi ! objecta Niki avec emphase. J'ai horreur de ces animaux-là ! Ils sentent mauvais, et ils mordent.

Joshua se tourna vers lui en essayant de masquer sa jubilation.

— Quel dommage ! commenta-t-il, feignant la déception.

— Vous n'avez qu'à y aller sans moi, déclara Niki.

— Tu ne vas pas t'ennuyer ? insista Anna, pleine de sollicitude.

— Oh non ! Tout ce que je demande, c'est de ne pas voir de chevaux.

Ils le reconduisirent bientôt au campement. Tout en se garant, Joshua admira l'ingéniosité de la manœuvre imaginée par Anna.

Le palfrenier sella deux montures fringantes, et ils partirent dans les collines environnantes. Partout où la piste offrait une largeur suffisante, Anna ralentissait pour chevaucher aux côtés de Joshua et lui raconter les randonnées de son enfance.

— Si tu t'avises de mettre pied à terre, prends garde aux serpents à sonnettes, l'avertit-elle.

— Ici ? Nous sommes trop près de l'eau, contesta-t-il.

— Je le pensais aussi. Mais à douze ans, je suis descendue un jour sans la permission du guide. Il s'est retourné en criant et a abattu un énorme crotale qui dormait au soleil sur un rocher à un mètre de moi. Elle désigna un bloc rocheux à leur gauche.

— Celui-là, d'ailleurs. Depuis, je suis très prudente.

— Je suivrai ton exemple, concéda-t-il. Tu m'as convaincu.

Elle posa une main sur son bras en murmurant :

— J'ai mis trop longtemps à te trouver. Pas question de te perdre aussi bêtement.

Souriant, il prit ses doigts pour y déposer un baiser. Tandis qu'ils montaient en altitude, elle nomma pour lui les fleurs sauvages, lui montra les étendues de fraisiers des bois. Plus haut encore les arbres, battus par des vents déchaînés, étaient atrophiés et tordus. Aucun ne poussait au sommet, mais les crêtes n'étaient pas nues pour autant. Des mousses d'espèces diverses, aux couleurs subtilement nuancées, couvraient les contreforts d'un tapis constellé d'efflorescences minuscules.

De ce point de vue élevé, ils découvraient le Mont Rainier environné de forêts touffues, les champs de blés dorés s'étendant au nord. Tel un interminable ruban bleu, le puissant fleuve Columbia traversait le paysage pour se jeter au loin dans l'Océan Pacifique. Sur ses rives fertiles croissaient de riches vergers, dont les pommes seraient exportées vers des pays lointains. En contraste, les terres du sud-est défiaient toute tentative de mise en culture. Même les animaux semblaient éviter cette zone basaltique, parsemée de roches volcaniques et sillonnée de coulées de lave.

Ce panorama grandiose semblait résumer toute la nature terrestre, avec les parties domestiquées par l'homme et celles qui lui restaient interdites. Muet dans sa contemplation, Joshua se perdit dans une sorte de transe jusqu'à ce qu'enfin Anna le prenne par la main en remarquant dans un souffle :

— C'est extraordinaire, n'est-ce pas ? Je tenais à te faire partager cela.

Incapable de trouver les mots qui traduiraient son émotion, il se contenta de hocher la tête.

Ils remontèrent à cheval et suivirent la piste élevée. Anna désigna une tour, sur une éminence voisine.

— Voilà un des postes de surveillance contre les incendies.

— Pauvres gardes ! Si loin de tout.

— Je trouve cela tentant, pour ma part. Adolescente, j'ai voulu travailler dans un tel relais pour l'été. Mais c'était trop mal payé, je n'ai pas pu me le permettre.

— Et aujourd'hui ? As-tu encore envie d'une cabane isolée ? « Une chaumière et deux cœurs »...

Elle sourit, rêveuse.

— Ne serait-ce pas merveilleux ? Se réveiller dans un grand lit aux montants de cuivre, et découvrir les montagnes par la fenêtre. Pouvoir se blottir sous l'édredon en admirant le coucher du soleil...

— Pourquoi pas ? renchérit-il. Il doit bien y avoir du terrain à vendre, par ici. Trouvons-en un d'où la vue est belle, et construisons notre maisonnette. Le jour nous explorerons les environs, et la nuit...

Ils rebroussèrent chemin, sans cesser d'échafauder les plans de leur hypothétique paradis. Le soir tombait lorsqu'ils regagnèrent le camp, et la plupart des amis étaient partis. Les Provoloski cependant attendaient encore.

— Nous étions inquiets, déclara Papa Provo. Où étiez-vous passés ?

— Excuse-nous, papa. Nous sommes montés jusqu'au sommet, c'est ce qui nous a pris si longtemps.

— Et pendant la descente nous avons imaginé la maison dont rêve Anna, ajouta Joshua.

Mama embrassa sa fille en riant.

— Tu as la tête dans les étoiles, *Aniouchka*. C'est bien.

7

Papa Provo invita Joshua à l'accompagner au camion, pendant que les deux femmes roulaient les sacs de couchage.

— J'ai terminé la boîte à thé de vos parents, expliqua *papa* en tendant à Joshua un paquet enveloppé de toile.

Le jeune homme l'ouvrit et découvrit le plus bel objet qu'il lui ait été donné de toucher. Papa Provo avait gravé dans l'écorce des scènes minutieuses, dont la plus belle, sur le couvercle, représentait une troïka tirée dans la neige par trois chevaux d'une merveilleuse précision.

— Je ne sais combien je vous dois, souffla Joshua, ébloui. Mais quel qu'en soit le prix, ce ne sera jamais assez.

— Elle vous plaît donc ?

— Je n'ai jamais rien vu d'aussi magnifique.

— Dans ce cas je m'estime payé.

Joshua ouvrit la bouche pour protester, mais se ravisa; s'il insistait pour monnayer ce cadeau, il en gâcherait l'intention et risquait d'offenser le père d'Anna.

— Merci, Papa Provo, déclara-t-il avec simplicité.

Le vieil homme lui tapota l'épaule en souriant.

Anna et Joshua furent les derniers à quitter Squaw Rock. Ils restèrent silencieux pendant le trajet de retour, bercés par les souvenirs de ce week-end idyllique et par la musique douce que diffusait la radio. Peu avant vingt-deux heures, ils se garèrent devant chez Anna, et déchargèrent rapidement le matériel. Les mouvements de Joshua paraissaient raides, et la jeune femme lui conseilla de prendre une douche chaude pendant qu'elle rangeait quelques affaires.

— Bonne idée, acquiesça-t-il. J'ignore ce qui m'a le plus courbatu, la promenade à cheval ou les heures de danse.

Il grimpa l'escalier en se massant les reins, et ajouta en marmonnant :

— A moins que ce ne soient les graviers sur lesquels Niki avait installé mon sac de couchage...

Quand elle monta à la chambre. Anna le trouva assis contre les oreillers. Son torse hâlé se dessinait contre la blancheur des draps, et elle regretta d'avoir encore sa propre toilette à effectuer. Elle se serait volontiers glissée sans attendre dans le lit à ses côtés.

Il scrutait son visage d'un air goguenard, comme s'il lisait dans ses pensées. Pour lui infliger la même délicieuse souffrance, elle se dévêtit devant lui avec une extrême lenteur. Puis, en lui décochant un clin d'œil espiègle, elle sortit de la pièce d'une démarche ondoyante.

Dans la salle de bains elle fit couler un puissant jet d'eau, et entendit Joshua lancer :

— Je décroche le téléphone ! On ne sait jamais, Niki pourrait avoir l'idée de m'inviter à une bataille de polochons !

14

Pour Anna et Joshua commença une vie à deux confortablement partagée. Ils cuisinaient à tour de rôle. Elle réussissait surtout les soupes et les salades, lui le pain et les gratins. En tout ils se complétaient comme dans leurs talents culinaires, et le temps s'écoulait presque trop vite, entre le travail, l'amour, et les distractions. Avec le mois d'août, les nuits devinrent chaudes et parfumées.

Dans tout couple, chaque partenaire fait certaines concessions pour s'adapter à l'autre. Ainsi Joshua décida d'accompagner Anna lors de son footing matinal. Tout en courant côte à côte à travers les rues désertes, ils bavardaient souvent. Un mardi Joshua proposa :

— Si nous allions naviguer autour des îles, en fin de semaine ?

— M'emmèneras-tu danser ?

Pour toute réponse, il lui adressa un clin d'œil entendu. Tous deux se rappelaient le week-end du 4 juillet, fête de l'Indépendance. Joshua l'avait conduite en voilier dans une exploration des San Juan Islands. Ils avaient jeté l'ancre près de l'élégant petit port de Rosario. Du grand hôtel leur parvenaient des accords de valse, et ils avaient vu évoluer des couples en smoking et robe du soir. Eux-mêmes n'avaient pas emporté de vêtements appropriés, mais Joshua avait promis qu'ils y retourneraient, dûment équipés.

Ils amorçaient la dernière côte avant de revenir chez Anna, quand il s'enquit :

— Comptes-tu inviter Niki ?

— J'y songeais. Y vois-tu un inconvénient ?

— Pas vraiment... concéda-t-il après une hésitation.

Elle s'arrêta et le prit par la main.

— Qu'y a-t-il ?

— Discutons-en chez toi, suggéra-t-il.

Pendant qu'ils se reposaient devant deux grands verres de jus d'orange, elle relança la discussion.

— Ce n'est pas que la présence de Niki me gêne, expliqua Joshua. Simplement, je me demandais... J'en ai assez que nous soyons chargés d'amuser Niki. Ne pourrions-nous raisonnablement passer de temps à autre un week-end à deux ?

— En d'autres termes, il te fatigue ? résuma-t-elle d'un air pincé.

— Je n'ai pas dit cela. J'aime bien Niki, j'ai plaisir à le voir, mais pas constamment.

— Quelle solution proposes-tu, alors ? Que je le confie à une bonne d'enfants ? Ou je pourrais le faire adopter par un couple stérile ? Ou le désavouer ?

— Assez de sarcasmes, Miss Tempête. Tu exagères tout quand tu es sur la défensive.

— Et pas toi ?

— Ecoute, pourquoi nous quereller ? Je voulais uniquement ouvrir une discussion franche sur la dépendance de Niki vis-à-vis de nous, rappela-t-il calmement.

— Objection acceptée, maugréa-t-elle. Mais tout de même, que veux-tu que je fasse de Niki ?

Joshua réfléchit en se passant la main dans les cheveux. Puis il prit Anna par les épaules et la regarda droit dans les yeux.

— Honnêtement, je ne le sais pas. Mais il doit bien y avoir des solutions. Comment se débrouillent les familles dont un membre est handicapé ?

A son contact, Anna sentit fondre son irritation. Il était naturel que Niki l'agace un peu, lui qui n'avait pas toujours vécu avec ses problèmes.

— Je l'ignore, avoua-t-elle. Je n'y ai jamais pensé.

Pour désamorcer le conflit, Joshua conclut :

— Emmenons-le ce week-end, mais commençons à envisager d'autres possibilités, veux-tu ? Je ne tiens pas à t'affronter régulièrement à ce sujet.

— Entendu, acquiesça-t-elle. Et nous passerons le dimanche suivant tout seuls, sans Niki. En attendant… Tu me laisses la douche en premier ? chuchota-t-elle d'un air espiègle.

— Seulement si tu y arrives avant moi !

Ils firent la course comme deux enfants; Joshua la remporta facilement mais céda de bonne grâce la place à Anna. Il avait acheté en double les articles de toilette pour les avoir à sa disposition après le sport du matin. Pendant qu'elle se douchait il entreprit de se raser, tout en méditant sur leur situation. Tous deux souhaiteraient plus d'intimité, mais comment l'obtenir ? Il *devait* exister des moyens. Et il les trouverait !

Dans le vestibule, au moment de partir, Anna posa une main sur son bras pour le retenir avec gravité :

— Je trouve trop compliqué d'essayer de deviner tes pensées. Nous devrions décider de ne jamais nous cacher nos sentiments, Joshua, d'être totalement honnêtes l'un avec l'autre.

— Scellons ce pacte…

Il se pencha pour couvrir ses lèvres d'un long baiser, puis ouvrit la porte.

En route vers le palais, ils convinrent de passer ensemble une soirée tranquille, mais le sort déjoua leurs plans. Joshua appela Anna à son bureau pour la prévenir qu'il serait retenu par l'assignation d'un chauffard. Elle ne le regretta pas, car, bien que l'enseignement normal fût suspendu pendant les vacances, un de ses collègues de l'université d'été était en arrêt maladie et elle avait accepté de le remplacer.

La tâche était facile : il s'agissait du dernier cours, et Anna se contenta de distribuer les sujets d'examen. Pendant que les étudiants répondaient aux questions, elle put se plonger dans ses réflexions, pour la première fois après une journée de travail bien remplie. Les arguments présentés le matin par Joshua étaient tous valables. Mais comment lui donner satisfaction ?

Au même moment, Joshua quittait le tribunal, d'humeur pessimiste lui aussi. De sa vie il n'avait jamais tenu à quiconque autant qu'à Anna. Mais il commençait à se rendre compte qu'il devrait toujours partager son amour, et avec quel rival ! Dès le début de leur relation, elle l'avait averti du poids que représentait Niki...

Le lendemain, tous deux rentrèrent épuisés. Anna passa sous la douche et enfila une robe d'été légère. Pendant ce temps, dans la cuisine, Joshua pressa quelques citrons pour les désaltérer.

Elle le trouva appuyé contre l'évier, la cravate dénouée et la chemise ouverte. Il tenait le grand verre glacé contre son front pour se rafraîchir.

— Bonsoir, mon chéri, murmura-t-elle en venant l'embrasser.

— Que faisons-nous pour le dîner ?

— Va donc te changer, conseilla-t-elle. Quand tu

seras à l'aise, installe-toi sur une chaise longue au soleil.
Je te servirai.

— Est-ce à dire que tu me porteras mon repas ? Ou
que je *serai* le repas ?

Elle mordilla son cou et chuchota :

— La deuxième possibilité me plaît assez...

— Seulement si tu es le dessert, répliqua-t-il.

De tels moments effaçaient tous les doutes de Joshua.
Tout semblait simple et merveilleux quand elle le taqui-
nait ainsi, quand ils étaient seuls et libres de se témoigner
mutuellement leur amour.

— Anna ? héla Niki, de l'entrée. Nous t'avons
apporté une pastèque ! *Mama* et *papa* ont acheté plein
de bonnes choses.

Joshua jura entre ses dents.

— Je vais prendre une douche, déclara-t-il, visiblement excédé. Cela me calmera.

Il sortit en bousculant un tabouret de cuisine et croisa
Niki sans lui adresser la parole. Face à sa famille, Anna
s'efforça de dissimuler l'embarras dans lequel la mettait
cette aimable intrusion.

— Il a fait si chaud, aujourd'hui ! s'exclama sa mère
en plaçant au réfrigérateur un bol de salade variée. Nous
avons décidé de venir pique-niquer autour de ta piscine.

Depuis des années en effet Anna les incitait à profiter
de ce luxe. Comment leur reprocher de garder cette
habitude ? La jeune femme se promit néanmoins d'avoir
bientôt avec ses parents une discussion sérieuse, pour
qu'ils téléphonent à l'avenir avant de faire irruption chez
elle.

Un joyeux tohu-bohu régnait dans la maison. Niki
cherchait ses sandales en les accusant bruyamment de se
cacher. *Mama* retournait toutes les casseroles à la recherche d'une marmite suffisament grande pour y faire cuire

les épis de maïs. Papa suivait le journal télévisé, en augmentant sans cesse le son afin de dominer le vacarme.

Joshua s'approcha d'Anna et l'embrassa sur la tempe.

— Pardonne-moi ma mauvaise humeur, murmura-t-il. Mais demain soir, prenons nos précautions pour préserver notre intimité.

— Si nous allions au *Bush Gardens* ? suggéra-t-elle.

— Magnifique. Je vais réserver tout de suite.

Il téléphona de la chambre et demanda un salon à tatami. A peine avait-il raccroché, que l'appareil sonna.

Quelques instants plus tard il rejoignit Anna qui empilait des couverts sur un plateau.

— Pouvons-nous nourrir une bouche supplémentaire ? s'enquit-il.

— Bien sûr. De qui s'agit-il ?

— Douglas a eu l'idée de me contacter ici. Comme il semblait un peu déprimé, je l'ai invité. Cela ne te dérange pas ?

— Si, plaisanta-t-elle. Quel sans-gêne, d'appeler à l'heure du repas ! Jamais quelqu'un de ma famille ne commettrait une telle faute de savoir-vivre !

Elle lui décocha un sourire malicieux et emporta son plateau au jardin.

Après le souper tous se baignèrent, excepté Douglas qui n'avait pas de maillot. Après avoir nagé quelques longueurs, Joshua sortit du bassin et vint s'asseoir auprès de son ami.

— Tu as l'air pensif, remarqua-t-il.

— Je le suis, soupira Douglas. J'ai mis mon restaurant en vente aujourd'hui.

— Je ne comprends pas. Pourquoi cela ?

— Plus rien ne me retient ici, déclara Douglas d'un ton désabusé.

— Comment cela, rien ? Tu as tes amis, ton affaire, moi...

— Oui, mais pas de famille. A mon âge, on a envie d'une famille.

— Je me croyais de ta famille, observa doucement Joshua.

— C'est vrai, fils, tu l'es. Mais tu as grandi, tu n'as plus besoin de moi. Depuis que vous êtes partis, Maurice et toi, j'ai souvent songé à retourner en Irlande.

Joshua resta un long moment muet. Qu'aurait-il pu répondre ? « Reste, j'irai te voir de temps en temps » ? Il consacrait à peu près tous ses loisirs à Anna... et Niki. Il lui restait bien peu à offrir à Douglas, qui lui avait tant donné.

— Réfléchis-y, recommanda-t-il seulement. Réfléchis bien avant de signer quoi que ce soit.

A cet instant, Niki grimpa hors de la piscine et s'ébroua comme un grand chiot, éclaboussant Douglas de gouttelettes froides. Irritable dans sa mélancolie, Joshua le fustigea :

— Niki ! Si tu veux te secouer, va donc...

Douglas posa une main sur son bras pour l'apaiser et lança une serviette au grand jeune homme.

— Tiens, Niki. Sèche-toi avec cela. Quand on se laisse emporter, on ne sait pas où l'on retombe, ajouta-t-il à voix basse à l'adresse de Joshua.

Il se mit debout, et conclut :

— Je vous remercie tous les deux de votre hospitalité, mais à présent je dois rentrer.

Ceci donna le signal du départ, et les Provoloski rassemblèrent également leurs affaires. Joshua envisagea de s'en aller avec eux, mais malgré l'heure tardive il souhaitait s'entretenir avec Anna. Pendant qu'ils chargeaient le lave-vaisselle, il annonça :

— Douglas veut vendre, et repartir en Irlande.

— Chez lui ?

— C'est ici qu'il est chez lui, rétorqua Joshua, agressif. Depuis près de quarante ans.

— Inutile de t'en prendre à moi, riposta-t-elle. Dis-moi plutôt ce qui te tracasse.

Il la prit dans ses bras, et murmura :

— Je ne l'ai jamais vu si abattu…

— Tu tiens beaucoup à lui, n'est-ce-pas ?

— C'est vrai. Je m'attendais à perdre un jour mon grand-père. Même à ne plus avoir mes parents, je me résignerais. Mais Douglas ? Non, il est mon mentor, mon guide…

— Je voudrais pouvoir t'aider, chuchota-t-elle.

— Merci de ta compréhension. Je crois que je vais méditer à tout cela sur mon bateau.

Soucieux, il ne se coucha pas tout de suite. La solitude de Douglas le rongeait. Tous les hommes qui avaient compté pour lui avaient été des solitaires. Brusquement il mesura sa chance, car lui n'était pas seul; grâce à Anna. Mais il lui fallait consolider ce lien précieux. Dès demain, il la demanderait en mariage.

Il se réveilla tôt, et rempli d'une merveilleuse exaltation. Afin de retarder son plaisir et mieux le savourer, il téléphona à Anna pour ne pas aller courir avec elle, et lui donna rendez-vous en soirée. Toute la journée il vécut dans l'expectative, dégustant à l'avance ce moment unique.

Quand enfin il retrouva Anna au *Bush Gardens*, sa joie était impossible à contenir. Il l'embrassa fougueusement dans l'entrée du restaurant, puis déclara avec emphase :

— Tu es plus belle que jamais !

— Et toi, d'une humeur rare. S'est-il passé quelque chose ?

— Oui... Ou plutôt non, pas encore. Je te raconterai cela.

La serveuse en kimono les précéda sur la petite passerelle en arc enjambant un minuscule cours d'eau. Ils dépassèrent plusieurs salons privés, avant d'atteindre celui qui leur était réservé. Avant d'y pénétrer, ils se déchaussèrent, et s'installèrent sur les coussins multicolores qui entouraient la table laquée. Les pieds de celle-ci étaient encastrés dans une sorte de fosse, ce qui autorisait le client occidental à s'asseoir confortablement. Anna, néanmoins, replia gracieusement ses jambes sous elle à la japonaise.

Après qu'ils eurent bu une gorgée de saké, elle s'enquit :

— Quel est donc l'événement qui te réjouit ainsi ?

Il s'empara de ses deux mains et déposa un baiser sur chaque paume, sans détacher de son visage son regard intense.

— Que se passe-t-il ? insista-t-elle, troublée.

Il étreignit ses doigts plus fort, avant de demander de but en blanc :

— Anna, veux-tu m'épouser ?

Elle dut fermer les yeux un instant et respirer profondément, pour apaiser l'orage qui se déchaînait en elle. Tant de fois elle avait redouté qu'il ne l'abandonne ! Maintenant il voulait s'engager totalement, mais elle se sentait étreinte par une peur indicible.

— Dis-moi oui, et nous nous marierons immédiatement.

— Rien ne pourrait me faire davantage plaisir, souffla-t-elle. Je le désire de tout mon cœur. Mais...

Elle marqua une hésitation, incapable de poursuivre.

— Mais quoi ? l'encouragea-t-il.

Il ne s'était pas attendu à une telle réaction; elle semblait véritablement terrifiée. Patient, il respecta sa réticence et la laissa rassembler son courage. Enfin, la gorge nouée, elle articula :

— Joshua, tu souhaites fonder une famille, n'est-ce pas ?

— Bien sûr. Pas toi ?

— Si... Mais je ne puis t'en donner une.

Sans doute, songea-t-il, souffrait-elle d'un problème médical qui rendait toute grossesse dangereuse pour elle. Voire de stérilité. Mais pourquoi ne s'était-elle jamais confiée à lui ? Craignait-elle donc qu'il cesse de l'aimer pour autant ?

— Je suis navré, chuchota-t-il.

Brusquement il se rappela les comprimés qu'elle avalait régulièrement chaque matin.

— Mais je ne comprends pas. Si tu ne peux avoir d'enfants, pourquoi prends-tu la pilule ?

— Je n'ai jamais parlé de ne pouvoir en avoir, rectifiat-elle. Mais je ne puis t'en donner.

— Explique-toi, exigea-t-il d'un ton vif.

— Que dirais-tu d'une maison pleine de petits Niki ?

Joshua ouvrit la bouche, regrettant sa sécheresse.

— Pardonne-moi, je ne te suivais pas du tout. Mais pourquoi crois-tu que nos enfants seraient handicapés, eux aussi ?

— Niki est mon frère, cela ne te suffit-il pas ?

— As-tu consulté un généticien ?

— Non, mais...

— Alors pourquoi présumes-tu le pire ?

— J'en suis certaine, affirma-t-elle, sur la défensive. D'après mes parents, Niki est né ainsi. Il n'a pas souffert d'une maladie infantile, ni subi d'accident. Je n'ai pas besoin d'un spécialiste de l'hérédité, pour savoir que les Provoloski sont porteurs d'une tare.

D'un geste très tendre, Joshua emprisonna sa main et se mit à la caresser en murmurant :

— Ecoute-moi, Anna. Un nouveau-né peut venir au monde affecté d'un problème congénital qui ne soit pas d'origine génétique.

— C'est vrai, concéda-t-elle. Sans doute ai-je toujours pensé que ce n'était pas le cas pour Niki, et je n'ai pas voulu risquer de m'en assurer par moi-même.

— La vie est un risque, remarqua-t-il, comme mama quelques mois plus tôt. Il suffit de te regarder : tu es née après ton frère, et pourtant tu es normale — seulement un peu déraisonnable. Demain je prendrai rendez-vous pour toi avec une sommité de l'Université de Washington. Ainsi nous serons fixés.

— Et si je porte une anomalie transmissible ?

— Alors nous adopterons.

— Vraiment, tu accepterais d'adopter un bébé ?

— Non, *des* bébés, taquina-t-il. Toutes les options nous restent ouvertes. Et si le destin nous interdit d'avoir nos propres enfants, je veux tout de même t'épouser. Une fois pour toutes, mets-toi bien cette idée en tête, oiseau de feu : je t'aime. C'est tout ce qui m'importe.

— Je t'adore, répondit-elle, émue. Mais je ne peux te dire oui avant que le jury ait rendu son verdict.

— Et pourquoi non ? s'entêta-t-il.

— Parce que tu finirais par me haïr. J'ai vu ton expression quand tu as aidé Julie à accoucher. Je ne pourrais pas te priver de cela.

Sur le point de se fâcher, il se rendit compte que brusquer Anna ne l'avancerait à rien. Elle sortit un mouchoir de son sac pour sécher les larmes qui perlaient à ses cils. Joshua le lui prit des doigts et, avec infiniment de douceur, tamponna ses yeux, puis ses joues. Elle sourit; avec quel calme il affrontait ses terreurs !

— Quelque chose t'amuse ? l'interrogea-t-il.

— Je songeais à la chance que j'ai...

— Tu te trompes, encore une fois. C'est *nous* qui avons de la chance.

Etait-ce la chaleur du saké, ou celle générée par leur confiance mutuelle ? Toujours est-il que lorsqu'ils se couchèrent cette nuit-là, leur ardeur habituelle était décuplée. Joshua étreignait la jeune femme comme si sa vie en dépendait, et elle donna libre cours en elle à un besoin d'une égale intensité. Jamais auparavant l'union de leurs corps n'avait autant ressemblé à une fusion totale de tout leur être. Leurs mouvements vibrants de sensualité les rapprochaient toujours davantage, jusqu'à ce qu'un paroxysme de passion les foudroie ensemble, au moment où cette quête éperdue devenait presque intolérable. Ils s'apaisèrent alors, peu à peu, mais restèrent enlacés et comme confondus jusqu'au matin.

Vendredi après-midi, après le travail, Anna et Joshua préparèrent joyeusement leur week-end de voile. A sept heures et demie, ils étaient prêts à partir, et allèrent chercher Niki. Une fois à bord le frère et la sœur déployèrent de louables efforts pour exécuter les consignes de Joshua, mais ce dernier dut maintes fois effectuer lui-même la manœuvre. Cependant, malgré toute la maladresse de ses coéquipiers, à aucun moment il ne perdit patience. On n'aurait pu rêver de meilleur instructeur.

Quand ils eurent quitté les eaux encombrées du port, Anna descendit dans la cabine disposer les assiettes de viande froide et la salade de pommes de terre qu'ils avaient emportées. Confortablement installés sur les coussins du pont arrière, ils dînèrent en contemplant les somptueuses couleurs du soleil couchant.

Ils jetèrent l'ancre dans une petite baie voisine de Port Madison, et dormirent bercés par le bruit des vagues contre la coque. Le samedi matin n'apporta qu'un jour blafard et humide, mais avant midi, le soleil avait percé la couche de nuages. Quand ils firent à nouveau halte, près de Rosario, Anna se badigeonna d'huile solaire et s'étendit pour lire. Pendant ce temps, Joshua emmena Niki dans le dinghy pour lui apprendre à ramer. Après avoir soigneusement décomposé les gestes tout en les lui montrant, il lui tendit les rames. Le jeune homme se leva avec enthousiasme, et le minuscule bateau tangua dangereusement.

— Assis ! ordonna Joshua.

A nouveau, Niki faillit les faire chavirer en reculant brusquement.

— Il ne faut jamais, *jamais*, te mettre debout dans une petite embarcation, recommanda Joshua.

— Compris, Josh.

— Très bien. Maintenant, déplace-toi lentement pour prendre ma place.

Niki obtempéra de son mieux, en agitant néanmoins le canot de façon inquiétante. Il empoigna les avirons, mais eut peine à coordonner ses deux bras.

— En même temps, l'encouragea Joshua. Tourne-les en même temps.

Dans un élan énergique, Niki parvint à propulser le dinghy de l'avant. Quand les rames sortirent de l'eau, cependant, il continua de pousser, et Joshua fut aspergé d'eau salée.

— Il faut relâcher les rames quand elles remontent ! tonna-t-il en s'essuyant.

Niki fit mine de se dresser pour lui tendre son mouchoir.

— Assis ! explosa Joshua. Combien de fois faudra-t-il te le répéter ? Ne te mets *jamais* debout.

Niki était blessé, il ne put le cacher.

— Je suis désolé, marmonna-t-il. J'avais oublié.

— Il y a certaines choses que tu ne peux pas te permettre d'oublier, Niki.

— Tu es fâché avec moi ?

— Non. Excuse-moi d'avoir crié.

Il reprit la leçon, tout en se reprochant son emportement. En quelques mois, il avait appris à user de patience envers Niki, mais jamais il n'avait passé deux jours avec lui sans interruption. Et il était incapable de rester serein et compréhensif. Comment donc y parvenait Anna ?

Une demi-heure plus tard, après d'innombrables incidents mineurs, il décida de mettre un terme au cours. Ils se rapprochaient du voilier quand soudain Niki bondit sur ses pieds en hurlant :

— Josh, attention !

Inévitablement le bateau fit un écart et Niki perdit l'équilibre. Une fraction de seconde plus tard, ils avaient basculé, et les deux hommes se retrouvèrent à la mer. Les avirons et les coussins s'éloignaient lentement, ballottés par le courant. Niki se débattait pour ne pas couler, totalement inefficace dans sa panique.

— Calme-toi et nage, ordonna Joshua en le rejoignant.

— Je ne sais plus comment !

Anna se pencha par-dessus bord et lui tendit le bras en l'appelant doucement :

— Viens, Niki. Prends ma main et grimpe.

Il saisit son poignet et l'échelle, et fut bientôt en sécurité. Joshua alla récupérer le matériel qui flottait, et lança chaque article à Anna.

Quand tout fut rentré dans l'ordre, Joshua questionna Niki, en masquant sa fureur :

— Pourquoi t'es-tu levé ? Ne vas pas prétendre que tu avais oublié.

— J'avais vu un monstre.

— Où cela ?

Joshua scruta les eaux de la baie, certain pourtant que Niki inventait ce prétexte pour justifier son étourderie.

— Là, répliqua Niki en montrant une petite bouée de plongeur, marquée d'un drapeau.

— Ce n'était pas un monstre, expliqua Joshua avec une patience forcée. C'était un homme ou une femme en combinaison de plongée.

— Pas du tout, affirma Niki. C'était une baleine.

Joshua lui accorda le bénéfice du doute :

— Dans ce cas tu ne risquais rien. les baleines ne mangent que du poisson.

Sur ce, il descendit dans la cabine en évitant de croiser le regard d'Anna. Après avoir enfilé des vêtements secs il revint sur le pont et se plongea dans un livre. Tous trois restèrent silencieux, jusqu'à ce que les ronflements de Niki donnent à Anna l'occasion qu'elle attendait :

— Joshua ? murmura-t-elle. Allons à l'intérieur, veux-tu ?

— Pourquoi ? maugréa-t-il, méfiant.

— J'aimerais te parler, répliqua-t-elle d'une voix douce.

Ils s'assirent côte à côte à la table, et Anna observa :

— Ne t'accable donc pas de reproches. Moi aussi il m'exaspère, parfois.

— Qu'est-ce qui te fait croire que je me sens coupable ?

— Tu es tendu, les muscles noués.

Elle lui fit tourner le dos et massa sa nuque et ses épaules contractées.

— Mmm... délicieux, commenta-t-il. Mais Niki ne me dérange pas, tu sais. C'est ce bain forcé qui...

— Je croyais que nous allions être francs et ouverts l'un avec l'autre ? l'interrompit-elle.

— Tu as raison...

— Je te trouve merveilleux avec Niki. Il m'arrive d'exploser avec lui, tu peux bien te le permettre aussi.

Il pivota pour l'embrasser sur le front.

— Je me sens mieux, maintenant. Je crois que je m'interdisais de lui manifester la moindre irritation.

— Sous prétexte qu'il est handicapé, il pourrait tout se permettre sans en subir les conséquences ? Crois-moi, ce sera plus facile pour tout le monde si tu te contentes d'être naturel avec lui.

Joshua poussa un soupir de soulagement, et remarqua :

— Niki a eu une bonne idée.

— A savoir ?

— La sieste. La cabine est libre...

Il s'inclina pour semer de petits baisers sur sa gorge et son buste, dont la peau chauffée par le soleil exhalait une légère senteur de pain cuit.

— C'est vrai, j'ai terriblement sommeil, murmura-t-elle.

— Je vais te border, décréta-t-il en la soulevant pour l'emporter vers le lit.

En soirée, ils s'habillèrent pour se rendre en ville. Après le dîner, Joshua offrit à Niki un rouleau de pièces de monnaie, et l'amena dans la galerie de jeux vidéo voisine.

Il put danser avec Anna une bonne heure durant. Puis Niki vint les rejoindre, ses provisions épuisées. Tous trois regagnèrent le port et montèrent dans le dinghy.

Pendant que Joshua ramait vers le voilier, Anna et son frère entonnèrent une vieille chanson folklorique. Joshua se joignit à eux et, ravis du résultat, ils s'applaudirent gaiement quand le chant fut terminé. Leurs rires joyeux apaisèrent profondément Joshua. Malgré son éclat de l'après-midi, comprit-il, rien n'était compromis. Niki ébranlait parfois sa relation avec Anna, mais ne la détruirait pas.

15

Aₙₙₐ et Joshua sentirent tout le poids de leurs difficiles professions, la semaine suivante. Il eut affaire à des clients particulièrement difficiles; mais elle, surtout, dut trancher une pénible affaire de divorce. Le couple se disputait âprement la garde des enfants, plus par vengeance réciproque que dans le souci du bien-être des intéressés. Tant et si bien qu'arrivée au vendredi, Anna, dégoûtée, était tentée de placer les malheureux dans des familles nourricières, en n'autorisant aux parents que des droits de visite limités.

Heureusement, une jeune éducatrice des services de protection infantile l'aida à y voir clair. Elle avait mené une enquête approfondie sur le milieu familial, et communiqua à Anna ses observations. C'est ainsi qu'avec une relative tranquillité, Anna confia le frère et la sœur à leur père. Enfin débarrassée de ce cas épineux, elle rentra chez elle en se réjouissant de retrouver Joshua ce soir. Ils ne s'étaient pas vus depuis le week-end, en raison de la surcharge de travail de l'avocat.

Il n'arriva qu'à vingt-deux heures, visiblement épuisé, et se laissa tomber sur le canapé.

— As-tu dîné ? s'enquit-elle.

— J'ai avalé un sandwich tout à l'heure. C'est d'un vrai baiser que j'ai besoin, maintenant.

Elle le lui accorda volontiers, et massa ses épaules contractées.

— La journée a été dure ?

— Je préfère ne pas y penser, avoua-t-il. Oublions le reste du monde, veux-tu ?

— Excellente suggestion.

Ils suivirent ensemble une comédie burlesque, *Tootsie*, sur le magnétoscope d'Anna. Joshua s'endormit avant la fin du film, la tête sur les genoux de la jeune femme. Il semblait si bien, là, si paisible… Elle glissa un coussin sous sa nuque et le recouvrit d'une couverture, avant de monter se coucher, seule.

Le lendemain, ils décidèrent que la meilleure façon de profiter du week-end serait de rester cloîtrés dans la maison. Le dimanche, après un samedi entier de far-niente, ils commençaient à retrouver leurs forces. Ils passèrent la matinée au lit, à lire l'épais journal dominical. Dans la section voyages, Joshua montra un article sur les îles de la Colombie Britannique.

— Que dirais-tu d'y aller en voilier, en septembre ?

Elle parcourut rapidement le texte, et ils discutèrent la possibilité pour chacun de prendre deux semaines de vacances à une époque propice. Puis Joshua écarta les feuillets épars et se pencha sur Anna pour chuchoter dans sa nuque :

— Si nous prenions une douche ?

— Ensemble ? Plutôt un bain moussant, suggéra-t-elle.

Souriant, Joshua repoussa l'édredon pour contempler Anna étendue sur le ventre, sa chemise de nuit un peu entortillée autour de son corps svelte. Il promena ses mains le long des ses jambes satinées, et un frémissement la parcourut tout entière. C'était surtout son regard appréciateur qui la remplissait d'un trouble exquis. Pour mettre un comble à son émoi, il ajouta la caresse de sa bouche à celle des yeux et des doigts, et effleura des lèvres le pli sensible de son genou.

Mais le bruit de quelqu'un tambourinant à la porte d'entrée brisa la magie de l'instant. Joshua se redressa, furieux.

— Attends-moi là. Je vais nous débarrasser de cet importun promit Anna en enfilant sa robe de chambre.

Elle courut vers le vestibule, avec au cœur un sombre pressentiment : l'intrus ne pouvait être que son frère qui s'ennuyait de leur compagnie. Quel prétexte allait-elle pouvoir inventer pour le congédier ?

En effet, sur le seuil se tenait Niki, un sourire béat aux lèvres.

— Bonjour, Anna ! lança-t-il joyeusement. Pourquoi tu as mis si longtemps à répondre ?

Il la bouscula pour entrer, et l'informa fièrement :

— Il est dix heures, tu sais. *Mama* m'a défendu de venir avant.

Anna avait en effet parlé avec sa mère, pour qu'elle mette un terme aux visites intempestives de la famille. Sans doute Niki avait-il arpenté dix fois la rue en attendant l'heure autorisée.

— Où est Josh ? questionna-t-il.

— Dans la chambre ! héla Joshua. J'arrive.

— Pas la peine, je sais où c'est.

Il s'élança aussitôt dans l'escalier et vint se percher au pied du lit.

— Qu'est-ce qu'on fait, aujourd'hui ?

— Rien, répliqua Joshua. Absolument rien. Ta sœur et moi sommes fatigués, nous n'allons pas sortir.

Niki fronça les sourcils et les considéra tour à tour avec indignation.

— Mais je voulais qu'on aille à Fort Nisqually, aujour-d'hui, se plaignit-il.

Anna le rejoignit et posa une main sur son épaule.

— Désolée, mais Joshua a raison, expliqua-t-elle patiemment. Nous ne bougerons pas d'ici.

— Nous irons la semaine prochaine, proposa Joshua.

Niki jeta à sa sœur un regard presque désespéré, et elle se sentit étreinte par la culpabilité. Ce grand frère au psychisme d'enfant, comme elle avait du mal à le parta-ger avec un autre homme ! Et elle ne voulait surtout pas qu'il se sente délaissé, car jamais elle ne l'abandonnerait.

Sa résolution commençait à fléchir, et Joshua le devina. Il répéta avec une calme autorité :

— Il te faudra attendre, Niki. Anna et moi t'avons déjà emmené en bateau le week-end dernier. Nous te consacrons beaucoup de temps, tu sais.

La véhémence de Niki le stupéfia. Le grand jeune homme se leva, tremblant de rage, et sortit en hurlant :

— Je te déteste, Joshua Brandon ! Tu es stupide ! Tu n'es qu'un égoïste !

Joshua resta quelques instants interdit avant de remar-quer :

— Je ne l'avais jamais vu dans un état pareil.

— Maintenant tu fais vraiment partie de la famille, déclara Anna en riant. Tu as découvert la face cachée de Niki.

— Il se conduit comme un enfant gâté, observa-t-il avec humeur. Nous n'avons pas à nous plier à son moin-dre caprice !

— C'est vrai, convint-elle d'un ton conciliateur. Mais il m'a toujours eue à sa disposition, jusqu'ici. Il va lui falloir du temps pour s'habituer à la situation.

Joshua se radoucit.

— J'oublie parfois qu'il a peine à s'adapter aux changements...

On entendit claquer une portière devant la maison. Joshua haussa les épaules.

— Une autre visite ? s'étonna-t-il. Tes parents ?

Le bruit d'un démarreur malmené le fit rire. Mais les affreux grincements de vitesses passées sans débrayer l'intriguèrent. Il sortit sur le balcon pour voir l'inconscient qui massacrait de la sorte un infortuné véhicule.

Le spectacle qu'il découvrit le consterna : Niki, au volant de sa Jaguar ? Il se précipita dans l'entrée. Son trousseau de clés avait disparu.

Tout en se ruant dehors, il cria à Anna :

— Ton adorable petit frère est en train de me voler ma voiture !

Elle accourut derrière lui et ordonna :

— Nikolaï, descends immédiatement !

Niki bloqua la porte avant l'arrivée de Joshua, et lui adressa une grimace triomphante quand il tambourina furieusement sur la vitre. En appuyant tour à tour sur les pédales il parvint à démarrer brusquement, indifférent aux injonctions d'Anna.

— J'y vais tout seul, à Fort Nisqually, lança-t-il.

— Niki, arrête-toi et je t'emmènerai déjeuner, plaida-t-elle.

— Va au diable ! rétorqua-t-il en appuyant sur l'accélérateur.

Mais bientôt sa crânerie fit place à de la peur, tandis qu'il zigzaguait périlleusement entre les files d'automobiles en stationnement. Joshua, courant à côté de lui, s'exclama :

— Tourne la clé, Niki. Coupe le moteur !

Trop affolé pour réagir, Niki agrippa le volant, incapable même de tourner la tête.

— Freine ! commanda encore Joshua. Avec ton pied droit, la pédale du milieu !

Dans sa panique Niki enfonça celle de droite, et la puissante auto bondit. Joshua, qui tenait la poignée de la portière, dut lâcher prise et tomba à plat ventre sur l'asphalte. Anna le rejoignit au moment où il se relevait, mais le laissa derrière elle en voyant la Jaguar percuter une camionnette, puis enfoncer l'aile d'une Ford rouge. Jusqu'au bout de la rue il fit ainsi œuvre de destruction, laissant sur les voitures garées des trainées de peinture bleue métallisée.

Anna accéléra autant qu'elle le put quand Niki s'approcha d'un carrefour toujours très fréquenté. Juste avant le croisement il vira soudain sur le trottoir, égaillant devant lui les piétons terrifiés. Par miracle, il n'en heurta aucun, avant de terminer enfin sa course folle dans la vitrine d'un magasin de bricolage. Après un dernier soubresaut la machine expira.

Joshua dépassa Anna, et atteignit Niki avant elle. Le grand jeune homme s'extirpait péniblement du tas de ferraille tordue. Une odeur de térébenthine emplissait l'air, et Anna atterrée contempla les pots de peinture renversés, crevés, écrasés, sur le capot du véhicule et partout alentour. La sirène d'alarme résonnait si fort qu'elle n'entendait même pas sa propre respiration haletante.

Au mépris du désordre qui régnait, elle s'approcha de Niki pour s'assurer qu'il n'était pas blessé. Il ne souffrait apparemment que d'une belle ecchymose au front, mais elle redoutait que le choc n'ait entraîné des lésions internes.

Joshua la bouscula et empoigna la chemise de Niki pour le secouer vigoureusement.

— Tu es fou, Niki ? Tu es fier de toi, à présent ? Regarde ce que tu as fait de ma voiture ! Elle est bonne pour la casse !

Niki essaya de se dégager, mais Joshua l'agita plus fort encore. Le fragile équilibre du géant céda, et il frappa l'abdomen de Joshua de son poing fermé avant de lui asséner un upercut au menton.

L'instant de stupeur passé, Joshua se défendit comme face à n'importe quel adversaire plus grand et plus fort que lui. Il esquiva le coup suivant, et tordit le bras de Niki derrière le dos. La puissance de ce dernier ne lui fut d'aucune utilité face à une telle rapidité. Il fut proprement immobilisé.

Comme Joshua ne relâchait pas sa prise, Anna le supplia :

— Laisse-le ! Tu lui fais mal.

Joshua s'exécuta mais s'adressa à elle d'un ton indigné :

— Je *lui* fais mal ? Et moi, crois-tu qu'il m'ait fait du bien ? Et à ma Jaguar ? Et aux véhicules qu'il a enfoncés ?

— Peu importent les dégâts matériels. Remercions le ciel que personne n'ait été blessé.

— Oh, mais je suis éperdu de reconnaissance, railla Joshua, en hurlant pour couvrir l'alarme stridente. Ton charmant frère a réussi à ne pas tuer cinquante personnes, réjouissons-nous !

Quelqu'un coupa enfin la sirène, et le brusque silence impressionna Anna. Elle plaida doucement :

— Discutons-en plus tard, veux-tu ? On nous regarde.

— Et alors ? rugit-il. Nous avons couru comme des fous depuis chez toi, ton frère a démoli une vingtaine de voitures et la devanture d'un magasin, et tu crains de te donner en spectacle ? Crois-tu vraiment qu'on ne nous ait pas encore remarqués ?

Un badaud éclata de rire et renchérit :

— C'est vrai, on a appelé la police. Vous leur expliquerez à eux, madame, que tout cela n'est pas grave.

Mortifiée, elle déclara d'une voix mesurée :

— Je dédommagerai tout le monde.

— Toi ? Pourquoi pas lui ?

Joshua désigna du doigt Niki, qui baissait la tête d'un air honteux. Il faisait tellement peine à voir, que Joshua regretta presque ses dures paroles. Mais avant qu'il n'ait pu les atténuer, il entendit ricaner un groupe d'enfants puis plusieurs spectateurs adultes. Brusquement il songea qu'Anna et lui étaient sortis en peignoir, que le vent plaquait contre leurs jambes nues. La jeune femme s'en rendit compte au même moment, et serra son kimono autour de sa gorge. De sa vie elle ne s'était jamais sentie à ce point exposée aux regards.

Heureusement, les forces de l'ordre arrivaient sur les lieux. Un policier dispersa les curieux, pendant qu'un autre venait recueillir leurs dépositions. L'épreuve fut nettement moins pénible que ne l'avait redoutée Anna, grâce à l'attitude patiente de l'agent. Le plus difficile était d'expliquer le handicap de Niki, sans vexer celui-ci. Pendant tant d'années il était revenu en pleurant des terrains de jeux, où il avait été traité de « débile »...

Elle vérifia qu'il n'était pas à portée d'oreille, mais ne le vit nulle part.

— Où est passé Niki ? demanda-t-elle à Joshua.

— Probablement chez tes parents, pour leur raconter ses exploits !

— Peut-être...

Quand le rapport de police fut terminé, une dépanneuse emporta la pitoyable Jaguar. Anna et Joshua furent reconduits chez elle. Là, ils fouillèrent rapidement la maison.

— Il a bien fait de se réfugier ailleurs, observa Joshua. Je ne pourrais pas me dominer si je mettais la main sur lui maintenant.

— Joshua, tu ne comprends pas, réprouva-t-elle. Je crois qu'il s'est enfui à cause de la police.

— J'en aurais fait autant, à sa place.

— Mais je m'inquiète.

— Pourquoi ? Il reviendra.

— Je vais le chercher, décréta-t-elle en commençant à s'habiller.

— Laisse-le donc méditer tout cela ! Quelques remords ne le tueront pas.

— Vraiment, tu ne comprends pas, répéta-t-elle d'un ton glacial. Il doit errer dans les rues, terrifié. Je *dois* le retrouver.

— A ton aise. Mais à mon avis tu le couves trop. Pour ma part j'ai toujours dû assumer les conséquences de mes actes.

— Comme le jour où tu as fait réparer la Maserati de ton père par Martin ? railla-t-elle.

— C'était un coup bas, Miss Tempête.

Il la foudroya du regard et elle regretta d'avoir employé contre lui le secret qu'il lui avait confié. Mais trop orgueilleuse et trop furieuse pour s'en excuser, elle haussa les épaules et acheva de se vêtir.

Resté seul, Joshua finit par se calmer suffisamment pour contacter son agent d'assurance. Pui il téléphona à Martin, résuma l'accident et le pria de ramener la Jaguar à Vashon. Dans la maison d'Anna il ne se sentait plus à sa place; aussi se rendit-il au garage où sa voiture avait été traînée, pour y attendre Martin.

Anna passa d'abord chez ses parents, et ne s'étonna pas que Niki n'y fût pas. Après les avoir rapidement mis au courant, elle les rassura et repartit. Sûrement, elle localiserait très vite son frère dans un de ses lieux de prédilection.

Après trois heures de recherches épuisantes, elle appela sa mère. Poussé par la faim, Niki était peut-être rentré ?

— Non, fit *mama*, d'une voix qui se brisait. Nous n'avons pas de nouvelles. Papa le cherche aussi, maintenant.

— Je continue, de mon côté, promit Anna.

Après les parcs et les cinémas, elle explora le zoo et les rues du district international. Toujours aucune trace. Dans l'espoir qu'il s'y serait réfugié, elle retourna chez elle. Personne. Joshua était repassé et avait déposé un mot sur la table de la cuisine : le propriétaire du magasin n'engagerait pas de poursuites, pourvu qu'on le dédommage honnêtement. Lui-même était parti avec Martin, et ignorait quand il reviendrait. Anna se prépara une tasse de thé puis ressortit.

A la tombée de la nuit, *papa* avait mobilisé tous les amis de la famille. Mais partout où ils allaient, ils recevaient la même décourageante réponse : « Non, il n'est pas venu ici ».

L'estomac tiraillé par des crampes, de faim ou d'inquiétude, Anna alla chez ses parents se confectionner un sandwich. Sa mère ne l'avait pas entendue entrer, et elle la surprit en train de sangloter au salon.

— Ne pleure pas, *mama*, la consola-t-elle. Nous le retrouverons, tu verras.

— Oh, Anna, gémit-elle. Il n'est jamais resté dehors si tard ! il doit avoir si peur !

— C'est ma faute. J'aurais dû me douter que la police l'effraierait. J'aurais dû le surveiller.

Mama se moucha bruyamment, puis se leva et regarda sa fille bien en face.

— Tu n'as rien à te reprocher, déclara-t-elle fermement. Peux-tu rendre ton frère normal ? Peux-tu veiller sur lui en permanence ? Non. Personne ne le peut. Tu es merveilleuse avec lui. Ne t'accuse jamais de le négliger.

Joshua ouvrit la porte de sa maison-bateau. Avec les travaux encore inachevés, elle ne lui parut guère accueillante. Après avoir passé l'après-midi avec Martin à évaluer l'état de la Jaguar, il était épuisé. Il avait plusieurs fois tenté de joindre Anna, mais elle ne répondait jamais. Dans l'espoir que les Provoloski pourraient le renseigner, il ouvrit l'annuaire et releva leur numéro.

— Allô ? fit Anna d'une voix stridente.

— Anna ? s'étonna-t-il. Où étais-tu ?

— Ah, ce n'est que toi, répondit-elle, déçue.

— Tu m'en veux encore ? Je suis désolé d'avoir explosé ce matin. Passe-moi Niki, je vais lui présenter mes excuses.

Cette phrase innocente brisa le contrôle de la jeune femme. Elle ne put réprimer un sanglot.

— Anna, que se passe-t-il ? questionna-t-il avec sollicitude.

— Niki s'est perdu, Joshua, articula-t-elle. Nous ne le trouvons nulle part.

— Ne bouge pas, j'arrive.

Il enfila un blouson de cuir et se précipita dehors. Heureusement, il s'était finalement abstenu de vendre sa puissante moto Goldwing. En moins de dix minutes, il atteignit la demeure des Provoloski. Les deux femmes qui attendaient fébrilement en buvant du thé sursautè-

rent au bruit du moteur. Anna courut ouvrir; ses yeux
sombres étaient cernés d'ombres violettes, et ses traits
tirés trahissaient son angoisse.

— Rien de nouveau ? s'enquit Joshua.

— Toujours rien.

Il la suivit au salon et elles lui exposèrent les recherches
déjà effectuées. Après un bref instant de réflexion, il
songea à quelques endroits supplémentaires et décida de
les vérifier. Anna voulut l'accompagner, mais il lui
conseilla de rester avec sa mère, et promit de lui téléphoner en cas de succès.

Dix minutes plus tard il interrogeait le réceptionniste
d'un hôtel louche.

— Avez-vous reçu un homme brun, très grand, d'une
trentaine d'années ?

L'homme secoua la tête en signe de dénégation. Joshua reçut la même réponse négative dans toutes les
pensions de la Première Avenue.

Sur le point d'abandonner cette piste, il aperçut le
vestibule sombre d'un petit garni particulièrement
décrépi, entre deux cinémas pornographiques. Il grimpa
au premier étage où se trouvait le bureau. Une femme
d'âge indéterminé, le nez chaussé de lunettes cerclées de
métal, feuilletait une vieille revue.

— Vous êtes de la police ? s'enquit-elle avec
méfiance, quand il eut donné le signalement de Niki.

— Non, assura-t-il. Je cherche simplement un ami.

Il lui avait semblé déceler une lueur dans l'œil torve de
son interlocutrice, pendant qu'il décrivait Niki. Mais elle
nia l'avoir vu.

— A mon avis, vous savez où il est, déclara-t-il en
sortant vingt dollars de son portefeuille.

Elle glissa le billet dans son corsage et confia :

— Vous pourriez essayer le 314...

Il se précipita dans les escaliers, et frappa à la porte correspondante.

— Niki, es-tu là ? appela-t-il.

— Non ! hurla une voix. Va-t-en !

— Dommage, soupira bruyamment Joshua. Je vais devoir chercher quelqu'un d'autre pour dîner avec moi...

Il entendit un pas dans la chambre, et un chuchotement :

— Je croyais que tu n'avais personne ?

— Il veut me mettre en prison, souffla Niki.

— Tu ne m'avais pas dit que tu étais recherché !

Le battant fut entrebâillé et un individu mal rasé considéra Joshua en fronçant les sourcils.

— Vous cherchez ce garçon ?

— Oui. Ouvrez-moi, répliqua Joshua avec autorité.

— J'ai seulement voulu l'aider, affirma le vieil homme. Je ne tiens pas à avoir des ennuis.

Il ôta la chaîne de sûreté et s'effaça pour laisser entrer Joshua. Niki était tapi dans un coin, pleurnichant malgré lui. Il s'essuya les joues du revers de la main. Joshua vint s'accroupir devant lui, et le prit doucement par les épaules.

— N'aie pas peur, Niki. Tout va bien.

— Je ne veux pas aller en prison ! geignit-il.

— Tu n'iras pas, je te le promets.

— Mais la police est venue, ce matin !

— Bien sûr, parce qu'il fallait rédiger un rapport sur l'accident. Ce n'était pas pour t'arrêter.

— Tu es encore fâché avec moi ?

— Non. Tu as mal agi, mais c'est fini.

L'étrange compagnon de Niki intervint :

— Je l'ai trouvé errant dans les rues comme un chien

perdu. Ce n'est pas un endroit pour un petit gars comme lui.

Joshua se releva pour lui serrer la main.

— Je vous remercie de l'avoir hébergé. Il aurait pu mal tomber.

— Content de rendre service.

— Vous avez droit à la récompense offerte à celui qui le retrouverait.

Niki cessa de renifler et prêta l'oreille.

— Une récompense de cinquante dollars, précisa Joshua.

— Cinquante dollars ! s'exclama Niki, ravi. Vous deviez être vraiment inquiets pour moi !

Joshua lui tapota le bras.

— Plus que tu ne l'imagines. Anna a couru toute la ville.

Il sortit cinq billets de dix dollars de son portefeuille et les tendit au bienfaiteur de Niki.

— Encore merci. Vous l'avez bien soigné.

— Ce n'est rien. Et maintenant, partez tous les deux. Laissez se reposer un pauvre vieil homme.

— Au revoir, Bud, fit Niki. Viens me voir un jour, au marché.

— Peut-être bien, petit. Peut-être bien...

L'air frais de la nuit leur parut délicieux, après l'atmosphère confinée du *Maynard Hotel*. Joshua avait hâte de mettre fin à l'angoisse des Provoloski. Il tendit à Niki le second casque.

— Elle est à toi, cette moto ? s'émerveilla Niki.

— Bien sûr. Allez, grimpe.

— Où est-ce qu'on dîne ? Tu me l'as promis.

— D'abord nous allons rassurer ta famille.

A la première cabine téléphonique, il s'arrêta pour contacter Anna.

— Je l'emmène manger un hamburger, expliqua-t-il. Nous avons besoin de procéder à une mise au point entre hommes.

— Si tu le ramenais plutôt ici ? suggéra-t-elle avec une pointe d'anxiété. Nous lui parlerons tous ensemble.

Elle redoutait que Joshua s'y prenne mal et effraie encore son frère.

— Ne t'inquiète pas, nous serons là d'ici une heure.

Il raccrocha sans attendre de réponse. Pendant le repas, il interrogea Niki avec ménagement :

— Pourquoi t'es-tu enfui, vraiment ? Tu savais bien que ta sœur et moi ne t'aurions jamais laissé emprisonner.

Niki baissa les yeux et fit mine de se concentrer sur sa nourriture. Las d'attendre sa réaction, Joshua changea de tactique :

— T'avais-je fait mal au bras ? s'enquit-il.

— Non, pas trop. Et puis, je t'avais frappé en premier. Comment va ton ventre ?

— Bien, mais tu as une force impressionnante !

Encouragé par la bonne humeur de Joshua, Niki lança la conversation sur un autre sujet :

— J'ai eu ma vaccination contre le tétanos, l'autre jour. Les docteurs, ils ont des piqûres pour guérir n'importe quoi... Tout, sauf moi.

Joshua n'osa pas parler. Probablement Niki n'avait-il jamais confié ses préoccupations à personne.

— Ils ne peuvent pas réparer ma tête, poursuivit Niki. Tout s'embrouille, là-dedans. Je sais bien qu'Anna est plus intelligente que moi. Je suis même plus bête que beaucoup d'enfants, n'est-ce-pas ?

Quelle réponse lui donner ? Comment Anna s'adresserait-elle à lui, sans le blesser ni l'abuser ?

— J'ai l'impression d'être de trop, Josh. Toi, tu as Anna. *Papa* a *mama*. Moi, je gêne tout le monde.

— C'est faux, contesta Joshua. Nous sommes heureux de t'avoir.

— Ah oui ? Alors pourquoi voulais-tu te débarrasser de moi, ce matin ?

— Tu as raison, reconnut humblement Joshua. C'est vrai, je voulais que tu t'en ailles pour rester seul avec Anna.

— Pourquoi je ne peux pas habiter seul, moi aussi ?

Frappé, Joshua se mit à sa place. Comment se sentirait-il, encore dépendant de sa famille à l'âge de trente-deux ans ?

— J'en ai assez d'attendre que vous m'emmeniez où je veux aller. Pourquoi on ne me laisse rien faire tout seul ?

— Ce n'est pas à moi de te dire cela, Niki. Il vaut mieux que nous en dicutions avec tes parents.

Niki oublia ses préoccupations sur le chemin du retour. Quand il firent leur entrée dans la maison, il se vanta à la cantonade :

— Je suis monté sur la moto de Josh !

Mama se précipita pour le serrer dans ses bras. Puis elle s'écarta et le gronda doucement :

— Ne fais plus jamais une peur pareille à ta pauvre vieille mère. Tu m'entends, Nikolaï Alexandrovitch Provoloski ?

— Je te le promets, *mama*, assura-t-il d'un air contrit.

Anna et *papa* l'assaillirent ensuite d'étreintes et de baisers, jusqu'à ce qu'il proteste :

— Tout va bien ! Mon ami Bud s'est bien occupé de moi.

Mama vida la théière et la remplit de feuilles de thé fraîches qu'elle recouvrit d'eau bouillante. Pendant qu'ils buvaient, rassemblés autour de la table basse, Joshua se fit l'avocat de Niki et annonça :

— Niki m'a parlé de son désir d'autonomie. Il a envie d'avoir un endroit à lui, de mener une vie plus indépendante. Mais cela pose des problèmes matériels...

— C'est ridicule ! trancha Anna. Il nous a, nous, que peut-il vouloir de plus ?

— Il aimerait être comme tout le monde, expliqua Joshua.

Il aurait préféré laisser Niki défendre lui-même ses aspirations, mais le jeune homme se reposait entièrement sur lui. Et aux yeux d'Anna, il devenait une sorte d'ennemi de la famille, des habitudes depuis longtemps établies.

— Mais tu as besoin d'être aidé, Niki, tu le sais bien, argua Anna.

Ses parents à leur tour tentèrent de raisonner leur fils. Comme ils n'aboutissaient à rien de concret, *mama* mit un terme au débat :

— Nous en reparlerons demain, décréta-t-elle. Il est tard, va te coucher, Niki.

Il vint embrasser chacun tour à tour, et après une brève hésitation, échangea une chaleureuse accolade avec Joshua.

Anna, épuisée elle aussi, se leva pour partir. Joshua l'imita, et les Provoloski le remercièrent avec effusion d'avoir ramené l'enfant prodigue.

— C'était tout naturel, assura Joshua. Je ne pouvais pas faire moins. Veux-tu que je te reconduise chez toi, Anna ?

Elle s'était tenue à l'écart, indifférente apparemment et secoua la tête. Il insista, tout en l'accompagnant jusqu'à la Volkswagen, mais elle ne fléchit pas et s'installa au volant.

— A demain, lança-t-il tandis qu'elle s'éloignait.

Elle était incapable de lui faire face. Pourtant, pour lui rien ne semblait changé. Après le drame d'aujourd'hui, il se proposait de reprendre leurs relations comme si de rien n'était.

Mais ses idées sur Niki étaient totalement irréalistes. Jamais il ne pourrait vivre seul, et satisfaire les attentes de Joshua. Ce dernier allait être déçu. Le fossé qui le séparait d'elle ne pouvait que s'élargir.

16

Joshua s'abstint prudemment de la relancer, les jours suivants. Si Anna voulait prendre du recul pour réfléchir, mieux valait éviter de la bousculer. Quand il l'invita finalement à déjeuner, elle refusa en prétextant une recherche à effectuer. Ce qu'il supportait mal était son silence, qui semblait l'accuser d'avoir échoué, avec Niki et avec elle.

Tous deux s'efforcèrent de sauvegarder les apparences, et leurs relations restèrent aimables — mais dénuées de la chaleur spontanée, de la flamme qui les avaient animés. Aux prises avec une totale confusion, Anna réagit sur son mode habituel : en se plongeant dans un labeur acharné. Joshua eut beau tenter de l'atteindre, chaque fois elle se repliait davantage sur elle-même.

Un jour le supérieur de Joshua lui annonça :

— Vous devez vous rendre chez le juge Provo, ce matin, pour une réunion préliminaire sur l'affaire Carroll. Mais votre témoin est à l'hôpital.

Parfait, songea-t-il. S'il ne pouvait aborder avec elle des sujets personnels, au moins il pourrait lui parler pour raisons professionnelles.

Dans son bureau, Anna consulta son emploi du temps

de la journée; Joshua Brandon et Dione Seim devaient arriver bientôt pour une conférence à trois. Si elle décidait de faire passer le cas en jugement, Joshua et elle allaient devoir espacer leurs contacts, afin de préserver son objectivité de magistrate. Elle s'en réjouit secrètement. Avec le temps, peut-être le dilemme qui la tourmentait se résoudrait-il de lui-même ?

A dix heures précises, les deux avocats furent introduits par Miriam. Joshua tint la porte et s'effaça, laissant Dione Seim entrer la première. Dotée d'une silhouette de rêve, petite et menue, elle lui décocha au passage un éblouissant sourire. A l'évidence, il ne s'agissait pas là d'une simple marque de politesse.

La sténotypiste s'installa discrètement, prête à noter les échanges des protagonistes. Après les présentations d'usage, les accusations furent passées en revue. Ils discutèrent des problèmes à aborder et des personnes appelées à témoigner.

— Votre honneur, je sollicite l'ajournement du procès à six semaines au moins, intervint Joshua.

— Pour quel motif ?

— Mon principal témoin est hospitalisé pour une intervention chirurgicale. Sans lui, je ne puis étayer ma défense.

— Requête accordée, acquiesça-t-elle.

Les autres questions furent rapidement réglées, et la sténotypiste prit congé. Joshua et Dione Seim n'avaient plus de raison de s'attarder, mais il souhaitait apparemment s'entretenir avec Anna. La jeune femme, de son côté, semblait l'attendre pour partir avec lui. Quelques minutes de silence s'écoulèrent, puis Anna s'enquit :

— Y a-t-il autre chose, monsieur Brandon ?

— Oui, commença-t-il.

Mais la présence d'un tiers le gênait. Il ajouta d'un ton bourru :

— Cela peut attendre.

Quand il se leva, Dione posa une main sur son bras et proposa :

— Que diriez-vous d'une tasse de café ?

— Ce ne sera pas nécessaire, déclina-t-il sèchement. Nous avons envisagé l'affaire dans ses principaux aspects. Si un élément nouveau survient je vous contacterai.

Il sortit, laissant l'avocate interdite.

— Il est bien susceptible, commenta-t-elle.

Anna haussa les épaules et marmonna une réponse inaudible.

— Quel dommage, soupira Dione. Un homme aussi séduisant ! Mais il faudrait un tempérament de feu pour le dompter.

Pendant qu'Anna parcourait à pied les rues de Seattle, une bruine légère se mit à tomber, humectant son visage et ses cheveux. Après deux semaines de temps sec, la pluie était la bienvenue. Anna avait laissé sa voiture chez elle, et rentrait en se promenant, heureuse de noyer ses soucis dans la foule anonyme.

Par les fenêtres des maisons, elle apercevait des familles rassemblées autour de la table du dîner, se racontant sans doute les événements de la journée. Elle se sentit encore plus seule. Etait-elle donc condamnée à rester toujours à l'extérieur, à regarder vivre les autres ?

Chez elle régnait une chaleur étouffante, et elle ouvrit grandes les fenêtres pour laisser entrer la fraîcheur. Pourvu que Joshua ne l'appelle pas ! Elle n'était pas prête encore à répondre à ses questions.

Elle alluma le poste de télévision et suivit distraite-

ment une comédie de mœurs. Hélas, le téléphone se mit
à sonner. Tentée de ne pas répondre, elle se raisonna;
elle ne pourrait esquiver indéfiniment les difficultés. La
voix de Joshua, évidemment, résonna dans l'appareil :

— J'essaie de te joindre depuis deux heures. Où étais-
tu ?

— J'ai dîné au restaurant, en rentrant.

— Tant pis pour moi. Je comptais passer chez le trai-
teur chinois et te rejoindre.

— C'est gentil, mais je voudrais me coucher tôt.

— Je sais que tu es fatiguée. Mais de quoi ? De moi ?

— Inutile de te montrer agressif, Joshua.

— Alors pourquoi n'es-tu pas honnête avec moi ?
Avoue que tu m'en veux encore de ce qui s'est passé avec
Niki.

— Ce n'est pas vrai.

— Un jour, tu m'as assuré qu'il était normal de se
mettre parfois en colère contre lui. Mais la première fois
que j'explose, tu m'exclus de ta vie !

— Tu as peut-être raison, reconnut-elle. Je vis isolée
avec lui depuis si longtemps, que j'ai du mal à admettre
qu'un autre que moi le critique.

— Anna, pardonne-moi ma franchise, mais j'ai vraiment l'impression que tu manques d'objectivité, en ce
qui concerne ton frère. Tu ne te vois pas le gâter, le
surprotéger. Comment veux-tu qu'il puisse mûrir et
développer pleinement ses possibilités, si personne ne le
laisse essayer ?

Piquée au vif par cette accusation, Anna s'emporta :

— Quelle mauvaise foi ! Dis plutôt que Niki te pèse. Il
ne dépassera jamais son niveau actuel. Mais tu refuses
d'accepter cette réalité.

— Je suis au moins aussi lucide que toi. Ce que je
n'accepte pas, c'est que tu le traites comme un bébé. Tu

renforces son sentiment d'être un incapable, quand tu lui répètes qu'il a besoin d'être surveillé.

— C'est faux ! cria-t-elle.

— Tu dois couper le cordon ombilical ! riposta-t-il.

— Je me suis totalement dévouée à lui, protesta-t-elle, furieuse. Il n'a pas une sœur, mais une seconde mère. Il ne peut se passer de moi !

— Cesse donc de jouer les martyrs, ce rôle ne te sied pas. Niki a besoin d'attention et d'affection, je te l'accorde. Mais tu le couves comme l'enfant que tu as toujours craint d'avoir.

— Il *est* un enfant.

— Non. Niki est un homme, qui aspire à une certaine indépendance. Tu l'étouffes par ton amour, tu te sers de son handicap pour te protéger toi-même.

— Tu ne te rends pas compte de ce que tu dis, rétorqua-t-elle, glaciale. Tes opinions ne valent rien, tu ne comprends pas Niki.

Lequel des deux raccrocha le premier, Joshua n'en fut pas sûr. La conversation tournait en rond. Attaquer Anna avait été une erreur tactique, naturellement elle s'était rebiffée. Mais comment allaient-ils résoudre cet imbroglio ? Ils ne pouvaient passer le restant de leurs jours à se quereller au sujet de Niki !

Pour se distraire il essaya de lire, mais ne put se concentrer. La télévision ne lui procura pas une distraction plus efficace; il l'éteignit au bout de cinq minutes. Sur une impulsion, il enfila sa veste et sortit en claquant la porte. Douglas, lui, saurait l'apaiser. Mais même lui allait bientôt s'en aller, se rappela-t-il avec angoisse. Il se remémora aussi sa cruelle rebuffade, à San Diego, et fut saisi de remords. Quand son vieil ami avait tenté de l'aider, il l'avait repoussé capricieusement. A présent, il

devait réparer ses torts. L'occasion était venue de lui
exprimer ses regrets et d'expliquer son indélicatesse.

Quand Joshua débarqua à Vashon et parvint à l'auberge, l'heure d'affluence était passée. Il gagna directement les cuisines, et trouva Douglas en train de confectionner un plat au fumet alléchant.

— Que prépares-tu ? s'enquit-il.

— Une sauce au cognac.

Sa réponse laconique confirma l'idée de Joshua : Douglas, blessé, prenait ses distances.

— Je me suis montré odieux avec toi, en Californie,
déclara humblement Joshua. Et j'ai omis de venir faire la
paix avec toi.

— Un simple mot d'excuse suffira, fils.

— Je te dois plus que cela, et je suis désolé. Tu m'as
tant donné, et j'ai été bien ingrat... Ton départ est-il en
rapport avec mon attitude ?

— Peut-être, admit Douglas. Tout le monde a besoin
de se sentir nécessaire, Joshua, tu me l'as dit un jour toi-
même.

— Mais tu m'*es* nécessaire.

Douglas lui tapota doucement l'épaule.

— Plût au ciel que ce fût vrai ! Mais tu as grandi...

— Je ne suis pas si sûr d'être adulte, avoua Joshua.
Veux-tu savoir pourquoi je me suis mal conduit, à San
Diego ?

— Seulement si tu as envie d'en parler.

Joshua approcha un tabouret du fourneau, et fit à son
ami le récit détaillé de sa terrible méprise, puis de la
dispute qui l'avait opposé à Anna.

— Voilà ce qui me rendait si hargneux. Me pardon-
nes-tu ?

— Bien sûr... Et maintenant, tout va bien entre vous ?

— Nous avons vécu des semaines merveilleuses.

Jusqu'à il y a peu de temps, quand son frère a décidé de s'offrir une promenade en voiture. Malheureusement, il n'avait jamais tenu un volant de sa vie...

Il raconta la folle équipée de Niki, sa disparition, la conversation qu'ils avaient eue, le silence d'Anna et enfin, leur dernière querelle au téléphone.

— Elle porte un fardeau bien lourd, soupira Douglas.

— C'est vrai... Mais je suis convaincu qu'en le couvant, elle empêche Niki de prendre de l'indépendance.

— C'est si difficile de laisser aller ceux qu'on aime ! J'ai versé une larme quand ton frère et toi avez franchi pour la première fois les limites du jardin. Mais je ne vous ai jamais retenus, car je vous savais capables de vous débrouiller au dehors.

— Voilà le problème : la confiance. Anna ne se fie pas assez aux capacités de Niki. Pourtant, je suis certain que tout peut s'arranger, d'une façon ou d'une autre.

— Tu ne te rends pas compte de ce que tu lui proposes, souligna Douglas. Elle s'est toujours sentie responsable de Niki, et tu voudrais qu'elle abdique ce rôle sans autre garantie que « cela devrait s'arranger » !

— Tu as raison... Elle le formule en des termes plus véhéments, mais ce doit être là que le bât blesse. J'essaie de me mettre à la place de Niki pour imaginer ce dont il est capable. C'est impossible...

Douglas mit au réfrigérateur la sauce, prête pour le lendemain. Puis il se servit une tasse de thé — il en gardait toujours au chaud sur la cuisinière. Après y avoir ajouté un peu de sucre et de lait, il s'assit à côté de Joshua.

Il resta un moment silencieux, puis étendit une de ses mains et la fit tourner lentement devant le jeune homme.

— As-tu jamais songé à tout ce que faisaient tes pouces ?

— Mes pouces ? répéta Joshua, interloqué.

— Un jour, mon père m'a attaché les pouces contre les paumes.

— Mais pourquoi diable ?

— J'avais huit ou neuf ans, et je fréquentais une bande de voyous. Nous nous sommes pris à un pauvre garçon un peu innocent, assez semblable à Niki. Père passait par là. Il m'a attrapé par l'oreille et traîné jusqu'à la maison.

— Il t'a privé de tes pouces en guise de punition ?

— Non, pour m'apprendre la compassion. Je devais garder le sparadrap vingt-quatre heures durant, et j'ai commencé à comprendre ce qu'éprouve un être handicapé. Je n'arrivais pas à nouer mes lacets, à fermer mes boutons, à tourner la poignée des portes. J'étais humilié d'avoir à demander de l'aide pour ramasser un petit objet.

Rêveur, Douglas remua chacun de ses doigts.

— Depuis, je n'ai jamais manqué de gratitude pour le miracle d'être entier. Bien avant l'expiration du délai, j'ai supplié mon père de me fouetter à la place, et de me libérer.

— Voilà donc ce que ressent Niki, souffla Joshua, frappé par cette anecdote.

— A ceci près que pour lui, il s'agit d'un état permanent.

— Merci, murmura Joshua. Tu connais vraiment toutes les réponses. Que puis-je faire, à présent ?

— Ce problème-là est plus épineux. Mais c'est toi qui es allé à l'université, pas moi. A toi de le résoudre.

Après avoir sombré dans la dépression, ces derniers jours, Joshua retrouvait enfin l'espoir et l'énergie. Il existait une solution, il allait la trouver. Cet optimisme le rendit conscient de son appétit insatisfait.

— Te reste-t-il de quoi nourrir un homme ? Je meurs de faim.

— Prends une assiette et sers-toi.

Joshua souleva les couvercles des deux marmites qui mijotaient à feu doux, et y plongea la louche. Ce souper impromptu lui rappela son enfance, quand ses parents étaient absents et qu'il dînait à l'office avec la cuisinière, Douglas, et Maurice. Les deux garçons faisaient ensuite la vaisselle, pendant que Douglas leur racontait des légendes irlandaises. L'atmosphère chaleureuse différait tant de celle des repas pris en grande pompe dans la salle à manger !

Joshua échantillonna avec un visible plaisir les plats raffinés que concoctait son ami pour la clientèle. Douglas l'observa un moment en souriant, puis se mit à nettoyer et à ranger la cuisine. Il était temps de partir, pour son invité. Cette escapade dans le passé avait été merveilleuse, mais à présent il devait passer à l'action.

Chez lui, Joshua dormit d'un sommeil paisible, comme il n'en avait pas connu depuis des semaines.

Anna, elle, passa une nuit agitée. Elle n'avait pas trouvé le soulagement en disant ses quatre vérités à Joshua, bien au contraire. Les doutes l'assaillaient plus que jamais. Entravait-elle réellement l'épanouissement de Niki en encourageant sa dépendance ?

Le lendemain, toujours rongée par ses préoccupations, Anna se cloîtra dans son bureau à l'heure du déjeuner. Après avoir recommandé à Miriam de prendre tout son temps, elle s'installa confortablement dans son fauteuil et ôta ses chaussures.

Elle fit ensuite pivoter son siège et regarda par la fenêtre. Le vent poussait de gros cumulus blancs dans le ciel bleu.

— Je suis comme les nuages, médita-t-elle à haute voix. J'ignore où je vais...

— C'est que vous n'avez plus les pieds sur terre, commenta la voix amusée de Martin.

Anna sursauta et se retourna vivement, pour s'assurer qu'elle n'était pas victime d'une hallucination. Mais le mécanicien était bien là, à la porte que Miriam avait laissée ouverte.

— Ma mère m'a toujours dit que j'étais bizarre parce que je parlais tout seul, remarqua-t-il.

— La mienne aussi, fit-elle en riant.

— Si vous entendiez les imprécations dont j'abreuve un écrou trop têtu ! Mais cela ne conviendrait pas à des oreilles féminines.

Malgré son envie de solitude, elle était heureuse de le voir et s'enquit :

— Que faites-vous ici, Martin ?

— J'ai dû venir au palais effectuer une menue réparation. Par la même occasion j'ai pensé vous saluer, et vous emmener déjeuner.

— Excellente idée. Mais au lieu de sortir, voulez-vous partager mon sandwich et mes gâteaux secs ?

— Avec plaisir.

Il pénétra dans la pièce et s'installa en face d'elle.

— En fait, je n'apostrophe les murs que lorsqu'un problème particulier me tracasse, reprit-il. A des moments où j'aimerais avoir un confident.

Son invitation à peine voilée fit sourire Anna. Elle l'avait toujours trouvé sympathique et doux, il lui inspirait confiance. N'avait-il pas gardé le secret pendant des années sur la Maserati de M. Brandon père ?

— J'ai en effet quelques soucis depuis que Niki a dévasté mon voisinage, reconnut-elle.

— Des difficultés avec Josh ?

— Oui...

— Pourtant, il n'est pas rancunier de nature. Il explose, puis se calme et rit de toute l'histoire. Je ne comprends pas ce qui lui prend.

Anna se mordit la lèvre; Martin présumait automatiquement que son ami était en tort.

— En fait, il a vite oublié les dégâts soufferts par sa Jaguar, rectifia-t-elle. Mais la situation est plus compliquée que cela...

Elle avait tant besoin de se confier, qu'elle se mit brusquement à déverser un flot de paroles. Aussi enthousiaste qu'une adolescente amoureuse, elle expliqua tout ce que Joshua lui avait apporté. Puis elle redevint morose en abordant l'obstacle constant que représentait Niki dans leur relation.

— Voilà où nous en sommes, conclut-elle. Nous nous déchirons inutilement à propos de mon pauvre frère !

Martin s'adossa à son fauteuil, et resta un moment silencieux, mais souriant. Puis il déclara :

— Parfois, quand je travaille sur une voiture, je me laisse emporter par mes propres désirs. J'ai envie de la refaire à mon goût. Il faut alors que je me ressaisisse. L'important n'est pas tant la restauration du véhicule, que mon entente avec le propriétaire.

— Je ne suis pas sûre de vous suivre...

— Ce qui compte, c'est mon respect de moi-même et l'estime de l'autre. Que je sois fier de mon ouvrage, mais aussi de ma relation avec le client. Ce qui nécessite souvent des compromis.

L'idée de consentir des concessions par rapport à Niki heurta Anna. Toute sa vie durant, elle l'avait défendu. Martin suggérait-il qu'elle le trahisse, au profit de Joshua ?

— Je dois regagner l'île, Anna, observa-t-il en se

levant. Mais j'ai une offre à vous faire : je serais heureux d'avoir la compagnie de Niki, certains week-ends. Un homme aussi fort que lui pourrait me rendre bien des services.

Elle se reprocha aussitôt de l'avoir mal jugé. Loin de lui conseiller d'abandonner Niki, il proposait de l'accueillir chez lui.

— Merci, c'est très généreux de votre part. Mais ne vous croyez pas obligé de…

— Anna ! coupa-t-il. Il n'est pas question de générosité. J'ai dit que Niki me serait utile. C'est un marché, libre à vous de l'accepter ou de le refuser. Mais pas de déformer mes intentions.

— Pardonnez-moi, Martin. J'ai pensé que vous agissiez par gentillesse, pour nous décharger, Joshua et moi.

— Vous pensez trop, Anna.

Sur un clin d'œil complice, il tourna les talons et sortit.

Avait-elle eu tort de s'entretenir avec lui ? La comparaison qu'il avait faite suscitait en elle de nouvelles questions, au lieu de lui fournir des réponses. Oubliait-elle l'essentiel, dans cette querelle avec Joshua ? L'amour méritait-il qu'on lui sacrifie tout ? Se butait-elle, en refusant toute discussion ?

A la même heure, Joshua retrouvait Tom dans un café de Pioneer Square. Tous deux appartenaient à un mouvement d'avocats qui militait pour obtenir de meilleures conditions de sécurité dans les cours de justice. Tom dirigeait le groupe de réflexion, et Joshua avait promis de l'aider à rédiger les conclusions des réunions.

Après avoir résumé les derniers progrès de la campagne, Tom s'enquit :

— Comment va Anna ? Sue et moi ne l'avons guère vue, ces temps-ci.

— Moi non plus, avoua Joshua.

Tom ne put masquer sa surprise.

— Tu parles sérieusement ? s'étonna-t-il. Que se passe-t-il ?

— Nous sommes en pleine lutte de forces. Le grand méchant Joshua qui veut mettre Niki à la rue, contre la douce Anna qui souhaite continuer à surprotéger son pauvre frère.

Tom hocha la tête d'un air grave.

— Un conflit centré sur Niki, vous en êtes là… C'était sans doute inévitable. Que comptes-tu faire ?

Joshua eut un ricanement désabusé.

— J'aimerais l'assommer avec un gourdin, la jeter sur mon épaule et l'emporter dans ma caverne, puisqu'elle refuse de m'écouter.

— Même à l'âge de pierre, cela ne marchait probablement pas, opina Tom en souriant.

— Honnêtement, je suis désemparé, soupira Joshua. Niki a envie d'acquérir une certaine autonomie, et je cherche désespérément une idée. En vain. Qui plus est, Anna croit que j'agis par intérêt, pour me débarrasser de lui.

Tom réfléchit quelques minutes en se caressant le menton.

— Que dirais-tu d'un foyer de groupe ? Je trouve ce concept fantastique.

— Mais bien sûr ! s'exclama Joshua. Comment ai-je pu ne pas y penser ?

— Tu as dû songer à des solutions trop compliquées, taquina Tom. Sue et moi en avons souvent discuté, mais nous n'avions pas à nous mêler des affaires des Provoloski.

— Quelle est la filière pour entrer dans un tel établissement ?

Tom esquissa une grimace.

— A ma connaissance, cela nécessite des mois de recherche, puis on s'inscrit sur une liste d'attente. On a quelques chances d'obtenir une place trois à cinq ans plus tard... La demande excède largement l'offre.

— Merci de ce faux espoir, remarqua Joshua avec amertume.

— Navré, mon vieux. Il existe bien une autre possibilité, qui est d'en ouvrir un soi-même. Mais cela représente un investissement considérable.

A nouveau le visage de Joshua s'éclaira.

— En fonder un ? Evidemment ! Comment s'y prend-on ?

Son enthousiasme fit sourire Tom.

— Je n'ai aucune expérience en la matière. Il faut sûrement trouver des subventions, une maison, l'adapter aux règlements d'hygiène et de sécurité, embaucher un responsable... et une foule d'autres détails. Envisagerais-tu sérieusement d'entreprendre un tel projet ?

— M'aiderais-tu ? Accepterais-tu de faire partie du conseil d'administration ?

Tom étudia intensément Joshua avant de répondre :

— J'en serais très honoré. J'en parlerai également à Sue, cela l'intéressera vraisemblablement. Mais si tu m'as convaincu, pour Anna ce sera moins facile. Elle est assez intraitable, quand il s'agit de son frère.

— Lorsqu'elle comprendra ce que cela peut signifier pour lui, elle devrait changer d'avis.

— Je te conseille de soumettre l'idée à Papa Provo. Si elle lui plaît, la bataille sera à moitié gagnée. Depuis des années il a appris à contourner les résistances de sa femme et de sa fille.

Quelques heures plus tard, Anna s'apprêtait à confectionner un dîner léger quand Joshua sonna à la porte.

Elle fut surprise de le voir, après leur dispute de la veille. Il la serra fougueusement dans ses bras et, malgré sa détermination à lui résister, elle sentit fondre sa réserve. Les soirées raccourcissaient, et la lumière déclinante allumait sur les cheveux du jeune homme des reflets dorés cuivrés. On eût dit qu'il rayonnait.

Quand il la relâcha, elle se reprocha d'éprouver à son égard une telle ardeur. Elle recula, brusquement timide, et s'efforça de plaisanter :

— Quel bon vent t'amène ? Après notre conversation d'hier, je ne comptais pas recevoir aussi vite de tes nouvelles.

— C'était hier, riposta-t-il.

Il fit mine de se rapprocher et elle se déroba, craignant de succomber encore à son charme s'il la touchait.

— Tu es de bonne humeur, observa-t-elle. D'où vient ce revirement ?

Son ton railleur irritait Joshua, mais il se contint.

— J'ai une proposition à te faire, annonça-t-il.

Anna se raidit, d'autant plus alarmée qu'il semblait content de lui. Récemment, tout ce qui satisfaisait l'un deux heurtait inévitablement l'autre.

— Eh bien, allons nous asseoir, invita-t-elle.

Joshua s'installa sur le canapé en ménageant ostensiblement une place à côté de lui. Anna cependant se dirigea vers le fauteuil en face. Elle aurait aussi bien pu le gifler, mais il n'en laissa rien paraître.

— Tom et moi avons déjeuné ensemble, précisa-t-il en guise de préambule. Nous avons parlé de Niki.

— Et vous avez eu tous les deux une merveilleuse idée ? devina-t-elle, glaciale.

— Exactement : un foyer de groupe.

— Comment ? s'écria-t-elle d'un voix stridente. Quel foyer de groupe ?

— Celui que nous allons fonder, Tom et moi, avec d'autres.

— Et tu oses nous arracher Niki pour le placer dans une institution ?

— Pas du tout ! Je pensais que tu nous aiderais à monter notre projet. Nous serions sûrs que la maison convienne aux goûts de Niki. Et ce ne sera pas une institution, mais un lieu chaleureux. Il serait libre d'aller et de venir à sa guise, de vous téléphoner, de dîner ou de passer le week-end chez toi ou chez tes parents… Comme n'importe quel jeune adulte qui a quitté le nid familial.

— Je le connais, il sera perdu sans nous, objecta-t-elle en se levant pour aller se poster devant la fenêtre.

— Sans son handicap, il vivrait déjà loin de vous, sans doute avec une femme et des enfants. Mais dans un tel cadre, il aurait des amis qui l'apprécieraient tel qu'il est, auprès desquels il ne se sentirait pas en position d'infériorité.

— Il est heureux dans sa vie actuelle, s'obstina-t-elle.

— Pas autant que tu aimes à le croire. Ce fameux dimanche, en prenant ma voiture et en s'enfuyant pour la journée, il cherchait aussi à s'émanciper. Mais tu ne veux pas entendre son désir.

Elle le foudroya du regard, et il comprit qu'il serait inutile d'insister. Il la rejoignit et referma ses bras autour de son corps rigide.

— Je ne veux pas me quereller encore avec toi, Anna, murmura-t-il à son oreille. Si nous remettions la décision entre les mains de ta famille ?

— Mais qui va financer tout cela ? Mes parents, avec l'argent de leur retraite ? Devront-ils se dépouiller pour réaliser ta grande idée ?

— Je n'ai pas encore effectué les calculs, admit-il.

Mais mon grand-père m'a légué une somme à consacrer à une cause que j'estimerais valable.

La jeune femme pivota sur lui et, prise de fureur, se mit à marteler sa poitrine de toutes ses forces.

— C'est donc cela ! La fortune des Brandon servira à acheter Niki !

Il saisit ses poignets pour l'empêcher de le frapper.

— Tu te trompes, protesta-t-il. Telle n'est pas mon intention.

— Sors d'ici ! hurla-t-elle. Tout ceci n'est qu'un stratagème pour te débarrasser de mon frère. Tu ne veux qu'une partie de moi, et tu paies pour éliminer proprement ce qui te déplaît. Tu peux aller au diable !

Il la lâcha et se redressa de toute sa hauteur, pétrifié par la haine qui brûlait dans ses beaux yeux ambrés. D'un geste lent, il resserra le nœud de sa cravate, et se tourna pour partir. Jamais Anna ne l'avait vu plus élégant, presque impérial.

Il ouvrit la porte, puis s'immobilisa un instant pour jeter, avec un infini mépris :

— J'accepte la sentence, votre honneur. Elle prouve bien qu'en effet, la justice est aveugle.

17

L'UNIVERS d'Anna était totalement bouleversé. Semaine après semaine, le temps passait avec une intolérable lenteur. La jeune femme vivait comme un automate, effectuant machinalement son travail. Sa famille, ses amis lui étaient comme étrangers. Elle ne revit plus Joshua, mais il s'entretint sans doute avec ses parents car ceux-ci ne parlaient plus que du projet de foyer de groupe.

Même *mama* n'avait plus le temps de la harceler, tant les recherches et les préparatifs l'absorbaient. Anna se sentait abandonnée de tous, et elle s'enfonçait de jour en jour plus profondément dans sa léthargie.

Un soir, Papa Provo vint la trouver dans son bureau. Le palais de justice était presque désert, et sa petite fille, son oiseau de feu était assise dans la pénombre, son siège tourné vers la fenêtre.

— *Aniouchka*, appela-t-il doucement. Je suis venu voir comment tu allais. Tu ne nous donnes plus de nouvelles.

— Je suis très occupée, en ce moment, répliqua-t-elle sans même lui faire face.

— Tu as toujours été débordée, mais jusqu'à présent, tu nous rendais tout de même visite.

Qu'avaient-ils tous, à l'accabler de reproches ? Depuis l'arrivée de Joshua, le monde entier se liguait contre elle ! Brusquement elle laissa exploser sa rancœur :

— Tu t'es laissé corrompre, papa ! Tu as vendu Niki pour faire plaisir à cet homme riche. Tu ne m'as même pas consultée, et Niki non plus. Pourquoi ?

Papa fit pivoter son fauteuil afin de la voir en face.

— Personne ne m'a corrompu, rectifia-t-il avec fermeté. Ta mère et moi avions souvent envisagé un projet comme celui de Joshua. Simplement, nos moyens ne nous permettaient pas d'agir. Grâce à sa généreuse proposition, le rêve devient possible. Mais nous y contribuons de notre mieux, ainsi que les autres parents qui souhaitent créer ce foyer. C'est une merveilleuse entreprise de solidarité, tu sais.

— Je me demande si tu en seras aussi satisfait le jour où tu abandonneras Niki là-dedans.

— Niki attend l'ouverture avec impatience. Tu devrais en discuter avec lui, suggéra-t-il.

— Il se réjouit à cause de ce qu'il imagine. Mais devant la réalité, il se rendra compte que vous l'avez trahi.

— S'agit-il vraiment d'une trahison, pour toi ?

— Absolument, affirma-t-elle en soutenant son regard.

Son père se détourna et contempla les feux de la ville. Puis, avec lenteur, il raconta :

— Quand tu étais enfant, je t'ai un jour offert une très jolie dînette. Tu l'adorais et jouais avec chaque jour, buvant du lait chaud dans les tasses minuscules. Puis j'ai appris que cette vaisselle avait été décorée avec une peinture au plomb. J'ai dû te l'enlever, pour t'éviter de t'empoisonner. Tu m'en as beaucoup voulu. Tu te sentais trahie, car tu ne comprenais pas. Comme maintenant.

— Je ne suis plus une petite fille, papa.

Il se tourna de nouveau vers elle et posa ses mains sur ses épaules.

— Tu seras toujours ma petite fille.

Il déposa un baiser sur son front, caressa son visage en repoussant quelques boucles cuivrées, et partit.

La porte se referma et Anna s'enfonça davantage dans son siège, les joues ruisselantes de larmes. Sa vie n'était plus que ruines, par la fuite de Joshua.

Papa Provo se rendait à une réunion du conseil d'administration. Il avait espéré convaincre Anna de l'accompagner, mais devant son pessimisme décourageant, il avait préféré ne pas l'inviter.

La séance avait lieu chez Tom et Sue, qui évitaient ainsi des frais de garde pour leurs enfants. Joshua résuma les démarches officielles qu'il avait accomplies pour court-circuiter les lenteurs administratives.

— Cela progresse rapidement, commenta Sue. Nous avons déjà nos huit candidats.

Les administrateurs avaient en effet statué que les résidents du foyer devraient être âgés de vingt-et-un ans au moins, et capables de se déplacer sans aide. Tous seraient des hommes afin d'éviter les problèmes de cohabitation.

— Il nous reste à trouver la maison, et surtout le responsable, rappela Papa Provo. Avez-vous du nouveau de ce côté, Joshua ?

— Pas encore. J'ai reçu des douzaines de postulants mais aucun ne convenait réellement.

— Cherchez-vous des qualités particulières ? s'enquit Sue.

— Oui, mais difficiles à définir. Il faudrait une personne capable d'apporter à ce lieu la chaleur que vous créez tous dans vos propres familles. Celle que Douglas nous a donnée, à mon frère et à moi.

— Qui est Douglas ?

— Douglas est celui à qui je dois d'avoir connu une véritable enfance. Il vit à Vashon, mais compte malheureusement déménager pour...

Brusquement il eut une illumination : Douglas ! Il était tout désigné pour cette tâche. Un sourire éclaira les traits de Joshua.

— Je crois avoir la personne idéale, annonça-t-il. S'il accepte, je suis sûr qu'il vous plaira à tous. Je lui rendrai visite dès demain.

— Magnifique, approuva Tom. A présent, concentrons nos efforts sur les locaux.

Tous les membres du conseil avaient en vain visité des demeures en vente. Toutes s'avéraient trop petites, trop délabrées, trop éloignées de toute possibilité de travail, ou entourées de terrains insuffisants.

— Eh bien, nous continuerons nos recherches, conclut Tom. Reste-t-il des questions à régler avant de clore la scéance ?

— Oui, intervint Joshua. J'ai apporté les documents relatifs à la création de l'association. Chaque mois une somme sera transférée sur le compte. Il me faut vos signatures à tous.

Quand les papiers eurent circulé, Joshua les récupéra et les rangea dans sa malette.

— Ne signes-tu pas toi-même ? s'étonna Tom.

— Non. Une fois que le projet sera lancé, je m'efface-rai.

Un silence gêné s'ensuivit. Enfin Papa Provo le rompit par ces mots :

— Vous nous manquerez, Joshua.

Celui-ci se leva, préférant ne pas répondre.

— Je t'appelerai demain, Tom, pour te communiquer la réponse de Douglas. Bonsoir, déclara-t-il en quittant la pièce d'une démarche raide.

Le lendemain, tout en conduisant vers *Doug's Island Inn*, il constata avec plaisir que sa Jaguar roulait mieux que jamais. Comme toujours, Martin avait opéré des miracles. Mais sa bonne humeur fit place à de l'appréhension lorsqu'il s'arrêta devant l'auberge. Le parking était désert, les volets clos. Il descendit de voiture et aperçut sur la porte un panonceau marqué : « Changement de propriétaire. Fermeture pour travaux ».

Douglas avait donc vendu. Se pouvait-il qu'il ait déjà quitté le pays ?

Joshua reprit la route et se dirigea à tombeau ouvert vers le domicile de son ami. Pourvu qu'il ne soit pas trop tard ! Trop tard, il avait compris que la femme qu'il aimait ne pourrait accepter l'émancipation de son frère. Trop tard, vu que sa propre attitude avait contribué au départ de Douglas. Avait-il trop tard, aussi, songé à lui pour diriger ce foyer ?

En arrivant au sommet de la dernière colline, il s'arrêta pour examiner la grande maison blanche, postée comme une sentinelle au bord de la baie. Les lamas paissaient comme d'habitude dans le pâturage voisin, et dans le potager les citrouilles mûrissaient en attendant la récolte. Mais aucun signe n'indiquait une présence humaine, pas un rideau ne remuait aux fenêtres.

Enfin, Joshua remarqua le panneau « A vendre » sur la véranda. Aussi heureux qu'un condamné recevant sa grâce, il enfonça la pédale de l'accélérateur et suivit le chemin privé jusqu'au petit manoir. Il coupa le contact et sortit. Puis, comme lorsqu'il était enfant, il se mit à appeler :

— Douglas ! Douglas, où es-tu ?

— Par tous les saints ! s'exclama Douglas en ouvrant la porte. Inutile de crier à faire éclater les vitres. Je suis là.

— Je craignais que tu ne sois parti sans prévenir.

— Je n'ai pas encore trouvé de preneur pour la propriété, maugréa-t-il. Entre, je vais faire du thé.

La vaste cuisine était une pièce confortable. Mais elle paraissait triste, aujourd'hui, peut-être à cause de l'humeur maussade de Douglas.

— A quoi dois-je ta visite ? s'enquit-il avec dans la voix une pointe d'amertume.

— Quelques amis et moi-même avons un problème à résoudre, expliqua Joshua. Tu pourrais nous être d'un précieux secours.

Se rendre utile, rien ne plaisait davantage à Douglas. Il se redressa imperceptiblement et prêta l'oreille avec plus d'attention.

— Comment cela ?

— Nous voulons ouvrir un foyer pour adultes handicapés mentaux. Niki, entre autres, serait un des résidents. Mais il nous manque une personne chaleureuse et digne de confiance pour en être responsable.

— Et tu as pensé à moi ? C'est un travail énorme, Joshua, fit Douglas en secouant la tête. Crois-tu vraiment que j'en sois capable ?

— Personne plus que toi.

— Où serait-il situé, ce foyer ?

— Malheureusement, nous n'avons pas encore trouvé de lieu suffisamment spacieux.

Douglas se leva de son tabouret et parcourut la cuisine de long en large. Après quelques minutes de réflexion, il revint s'asseoir devant la table. A son demi-sourire, Joshua devina sa décision.

— Ta réponse est oui ?

— A une condition. Si cette maison satisfait à vos critères, elle servira à héberger les jeunes gens.

Encore une fois, Joshua n'avait pas envisagé une solution pourtant évidente. Il éclata de rire.

— Entendu ? demanda Douglas, réjoui.

— Entendu ! Quel est ton prix ?

— Ce sera ma contribution au projet.

Joshua ne s'avisa pas de discuter. Lorsque Douglas se mettait une idée en tête, inutile d'essayer de l'en faire changer.

— Merci, Douglas, déclara-t-il avec émotion.

— Tout le plaisir est pour moi, fils. Sincèrement.

Il retint Joshua tout l'après-midi, l'interrogeant sur les modifications nécessaires pour que le manoir corresponde aux normes de sécurité. Puis il se lança dans la répartition des chambres, et les possibilités d'emploi sur l'île. Indiscutablement, Douglas était dans son élément.

C'est seulement vers minuit que Joshua le quitta. Sur le ferry, il s'efforça de chasser le souvenir d'une autre traversée, quelques mois plus tôt. Anna l'avait envoyé au diable, la dernière fois qu'il l'avait vue. Et sa malédiction se réalisait, hélas. Il vivait chaque jour un enfer, désespérant d'en sortir jamais.

Pour atténuer sa douleur, il repoussa l'image de ce visage pur aux grands yeux en amande, encadré de cheveux cuivrés. Il se remémora plutôt sa haine, la violence avec laquelle elle l'avait frappé et la cruauté de ses paroles. Ainsi il se confrontait dans sa décision de ne plus approcher cette femme qu'il avait autrefois cru pouvoir apprivoiser comme un chaton.

L'été indien prit fin, et octobre amena un temps plus frais. Anna se résignait passivement à la saison froide, puisque l'hiver régnait déjà dans son âme. Elle frissonna,

9

et serra autour de ses épaules son châle d'alpaga. Peut-être tremblait-elle aussi d'appréhension, à cause du départ de Niki.

Depuis que *papa* et *mama* l'avaient déposé chez elle, pour qu'il rassemble les affaires qu'il voulait emporter, il n'avait cessé de décrire avec animation Eloise Manor. La maison de Douglas l'enthousiasmait, ainsi que les lamas qu'il serait chargé de nourrir, et l'emploi que lui réservait Martin dans son garage. Peut-être s'en réjouissait-il vraiment, reconnut-elle.

Elle le rejoignit à l'étage et, avec mélancolie, le regarda ranger ses trésors dans des cartons. Les murs nus lui semblèrent symboliser le vide que serait sa vie, désormais. Elle qui avait pensé, naguère, se satisfaire de son métièr et de la course à pied...

— Je peux te dire un secret, Anna ? fit Niki, brusquement timide.

— Bien sûr.

— J'aimerais que ce soit toi qui me conduises au foyer, au lieu de *mama* et *papa*.

Elle ouvrit la bouche mais resta sans voix, incapable de répondre. Il lui demandait l'impossible, il voulait qu'elle participe à la réalisation de son cauchemar.

— S'il te plaît, plaida-t-il. *Mama* et *papa* y sont déjà allés, et pas toi. Je voudrais que tu voies l'endroit où je vais habiter.

Peut-être éprouvait-il encore des incertitudes ? Souhaitait-il que sa sœur puisse l'épauler au cas où il changerait d'avis ?

— Très bien, Niki, céda-t-elle. Je t'y amènerai.

— Merci ! s'exclama-t-il en riant. Je vais téléphoner à *papa* pour le prévenir.

Il ne cessa de babiller durant tout le trajet. Son humeur

joyeuse contrastait étrangement avec celle d'Anna, maussade et renfermée.

En suivant les indications fournies par son père, elle trouva sans peine Eloise Manor. Comme Joshua avant elle, elle s'arrêta au sommet de la colline pour examiner la maison. Force lui fut de constater que l'endroit était accueillant, avec ses verts pâturages. Le manoir lui-même respirait l'hospitalité. Ce qui n'avait rien d'étonnant, songea-t-elle, puisqu'il s'agissait de la demeure de Douglas.

Elle se gara près de la véranda, qu'un jeune homme balayait avec application. Un autre apprenait à tailler les haies assisté par Douglas. Ce dernier posa le sécateur et vint à leur rencontre.

— Bonjour, Anna. Je suis heureux que vous ayez décidé d'accompagner Niki.

— Il m'a un peu forcé la main.

— Ce n'est pas vrai ! protesta-t-il. Je ne t'ai pas touchée.

Il réfléchit quelques secondes, puis ajouta :

— Je parie que c'est encore une expression.

— Gagné, approuva Douglas en lui tapotant l'épaule.

Le pensionnaire muni d'un balai les rejoignit.

— Bonjour, Niki, dit-il avec un petit rire.

— Bonjour, Robert. Voici ma sœur.

Il voulut imiter le geste de Douglas et administra à la jeune femme une vigoureuse bourrade qui faillit lui faire perdre l'équilibre.

— Faisons visiter notre domaine à Anna, proposa Douglas.

Il ouvrit la marche et Anna lui emboîta le pas, suivie de Niki, Robert, et de l'autre garçon qui n'avait pas prononcé une parole.

— Voici le salon. Nous n'avons pas encore de téléviseur, mais nous espérons en obtenir un bientôt.

La vaste pièce était encore assez vide et nue. Dans la
partie gauche une longue table en chêne était entourée
de chaises.

— Nous prenons nos repas là-bas, expliqua Douglas.

— Qui se charge de la cuisine ?

— Tout le monde. A tour de rôle.

— Pas moi, objecta Niki. Je me brûle toujours.

— Eh bien, tu apprendras à confectionner des salades,
déclara Douglas. As-tu déjà essayé ?

— Non, avoua Niki.

Le groupe grimpa à l'étage.

— Cette première porte est celle de Robert. Il y a
deux salles de bains, une ici, l'autre au bout du couloir.

— Scott et moi sommes ensemble, précisa Niki.

— Qui est Scott ? s'enquit Anna.

Son frère désigna l'homme taciturne qui s'était joint à
eux. Il sortit un harmonica de sa poche et en joua quelques notes.

— Il veut que tu voies notre chambre, traduisit Niki. Il
ne parle pas comme tout le monde, mais je comprends ce
qu'il dit avec la musique.

— Mais comment ? s'étonna Anna.

— Il suffit d'écouter, affirma-t-il, comme s'il s'agissait
d'une évidence. Viens.

Elle se laissa entraîner, pensive. Joshua avait-il eu
raison, en l'accusant de ne pas savoir écouter Niki ? Elle
était si sûre qu'il souffrirait de vivre dans un foyer. Mais il
exultait, visiblement.

Il lui montra fièrement des murs turquoise comme elle
n'en avait jamais vus. Des bateaux aux immenses voiles
blanches parsemaient cette étendue bleue dont ils rom-
paient l'intensité.

— C'est Scott et moi qui avons fait la peinture, annonça Niki. Sauf les voiliers. Sue est venue les dessiner.

— C'est magnifique, admira-t-elle.

— C'est la première fois que j'ai un endroit à moi, que je décore moi-même.

Il souriait de bonheur, et Anna sentit les larmes lui picoter les paupières. Comme elle l'avait mal compris ! Pour ne pas pleurer, elle questionna Douglas :

— Et vous, où dormez-vous ?

— A l'autre extrémité de l'étage.

Pour compléter la visite, ils gravirent les escaliers menant au grenier. De multiples fenêtres avaient été percées dans les parois, et la pièce était inondée de lumière. De gros coussins en patchwork jonchaient le sol, autour des tables basses couvertes de jeux divers. Les étagères regorgeaient de livres, et un téléscope était installé devant une lucarne.

— Oh ! s'écria Niki. Est-ce qu'avec cela on peut voir les étoiles et les soucoupes volantes ?

— Je me ferai un plaisir de te montrer la lune et d'autres planètes, confirma Douglas, amusé. Mais en ce qui concerne les vaisseaux spatiaux, je ne te promets rien.

Ils s'installèrent sur des poufs et contemplèrent la baie qui s'étendait au-delà des vitres.

— Ici, on vient se reposer au calme après une dure journée de travail, commenta Douglas.

Anna hocha la tête. Impossible de le nier, ce lieu accueillant n'avait rien de la froide institution qu'elle avait redoutée.

— Robert, va donc voir si les lamas n'ont besoin de rien, suggéra Douglas. Niki et Scott, accompagnez-le.

Donnez-leur une ration d'orge chacun, mais pas plus, surtout. Pendant ce temps je vais faire du café.

Les trois jeunes gens se ruèrent dehors comme des poulains lâchés au pré. Niki était enfin libre, et Anna n'avait même pas su qu'elle l'enfermait.

Elle descendit avec Douglas au rez-de-chaussée et le suivit à la cuisine. Elle attendit pour rompre le silence qu'il lui tende une tasse de thé.

— Puis-je vous poser quelques questions ?

— Bien sûr, Anna.

— Où vont travailler vos pensionnaires ?

— Plusieurs petites entreprises ont accepté de leur donner une formation et un emploi. Martin voulait un apprenti-mécanicien, l'horticulteur a besoin de deux personnes pour les serres d'orchidées, et la société qui fabrique des skis nautiques cherche du personnel non qualifié.

— Mais quel sera leur avenir ? Combien de temps pourront-ils vivre ici ?

— Aussi longtemps qu'il le voudront, répliqua Douglas. Bien sûr, nous espérons les voir accéder à l'indépendance. Mais aucun règlement ne leur interdit de rester indéfiniment.

Anna baissa les yeux, et poursuivit à voix basse :

— Vous le savez, j'étais farouchement opposée à la création de ce foyer. Mais je commence à croire que je m'étais trompée...

Cet aveu semblait tant lui coûter, que Douglas s'approcha et lui tapota doucement l'épaule d'un geste consolateur. Brusquement Niki fit irruption dans la pièce en hurlant :

— Douglas ! C'est vrai que Robert va avoir des poules ?

— Niki, chuchota Douglas. Est-ce que tu es sourd ?

Médusé, le grand jeune homme secoua la tête.

— Est-ce que je suis sourd ? chuchota encore Douglas.

— Non...

— Alors pourquoi crier ? conclut Douglas. Et pour te répondre, oui, Robert va commencer un élevage de poules. Il aura beaucoup de travail pour s'en occuper.

— Les poules, c'est bête, marmonna Niki.

— C'est *pas* bête, nia Robert qui venait d'entrer.

— Si !

— Non !

— Cela suffit, vous deux, intervint Douglas avec fermeté. Le café est prêt, servez-vous. Et prenez des gâteaux secs.

Cette collation apaisa immédiatement Niki, qui enfourna six biscuits en un clin d'œil. Robert n'en mangea qu'un, car, expliqua-t-il, il suivait un régime. Scott versa trois cuillerées de sucre dans son bol.

Douglas leur rappela de rincer leur vaisselle, et après s'être acquittés de cette tâche, les trois amis retournèrent dehors.

— Scott ne parlera-t-il jamais ? s'enquit Anna.

— Qui sait ? Depuis que ses parents l'ont abandonné, tout petit, il a été balloté d'une institution à l'autre. Il a dû lui arriver quelque chose qu'il préfère enfermer dans son cœur.

Comment pouvait-on se taire ainsi sa vie entière ?

— Qu'allez-vous faire de lui ? murmura Anna, émue.

— L'entourer d'affection, dans la première famille qu'il ait connue. Un jour, peut-être, il sera suffisamment sécurisé pour s'ouvrir. Sinon, Scott restera Scott, avec sa musique en guise de langage.

Un amour aussi inconditionnel était un rare trésor, songea Anna. Joshua et elle n'avaient pas su aimer ainsi.

Leur intransigeance avait eu raison des sentiments. La sienne, surtout.

— Je ferais mieux de rentrer, déclara-t-elle en se levant.

Elle sortit sur la véranda et appela son frère, mais il ne l'entendit pas. Il était si absorbé par sa nouvelle vie, si heureux, qu'elle ne comptait plus guère pour lui. En s'efforçant de camoufler sa peine, elle se tourna vers Douglas.

— Vous êtes en train d'accomplir une œuvre merveilleuse, le complimenta-t-elle. J'aimerais y contribuer, d'une façon ou d'une autre. Que puis-je faire ?

— Il nous faudrait un poste de télévision...

— J'en ferai livrer un. Rien d'autre ?

— Nos besoins se révèleront au fur et à mesure. Je vous tiendrai au courant.

Il l'accompagna à sa voiture. Alors seulement Niki la rejoignit pour décharger ses affaires. Scott et Robert l'aidèrent, et tous trois emportèrent leurs fardeaux vers la maison.

— Au revoir, Anna, lança Niki avec désinvolture. A la prochaine fois !

— Au revoir, répondit-elle d'une voix étranglée.

Elle s'installa au volant et baissa la vitre. Douglas se pencha pour l'embrasser.

— Au fait, avez-vous vu Joshua, récemment ?

— Non, et je doute que nos chemins se croisent encore, hormis au tribunal. Nous nous sommes quittés sur des mots assez durs. Cela ne s'oublie pas.

— Les mots passent, l'amour reste, affirma Douglas.

Elle mit le contact en souriant tristement.

— Le nôtre n'était sans doute pas assez solide. Enfin, à bientôt, Douglas.

Elle ne gagna pas directement le port, mais vagabonda quelque temps sur les routes de l'île. Mieux valait ne pas rentrer tout de suite. Chez elle, personne ne l'attendait, et personne ne l'attendrait jamais.

18

Quand elle ouvrit enfin la porte de chez elle, Anna était prête à s'effondrer. La semaine avait été éprouvante, au palais. Et le coup de grâce lui avait été assené ce vendredi, car la mise en accusation de l'affaire Carroll avait eu lieu dans son prétoire. Elle avait donc dû faire face à Joshua.

Pendant la courte audience, il avait adopté une attitude impersonnelle, sans croiser une seule fois le regard d'Anna.

— Mon client plaide non coupable, votre honneur, avait-il déclaré.

— Requiert-il un procès avec ou sans jury ?

— Avec, votre honneur.

— Je recommande le versement d'une caution fixée à dix mille dollars, avait-elle prononcé en abaissant le marteau.

Joshua avait rassemblé ses dossiers et était parti sans tourner la tête. Fini, le temps où il la détaillait hardiment, une lueur de désir dans les yeux. Disparues, ses humeurs gaies ou emportées. Il n'était plus qu'un avocat parmi les autres, beau, certes, mais d'une irrévocable froideur.

A présent, quelques heures après cette pénible confrontation, elle se sentait vidée de ses forces. Mais comment supporter cette maison vide ? Elle se rappela que l'océan avait toujours apporté le repos à son âme, quand elle était tourmentée. Malgré son épuisement elle décida de gagner la côte. Les longues promenades sur les plages désertes balayées par le vent, le grondement des vagues qui roulaient sur le sable, les cris des goélands chasseraient ses idées noires.

Dans un sac de voyage elle rangea un jean, un pull-over, et un parka. Au dernier moment elle y ajouta ses bottes en caoutchouc; elle adorait marcher au bord de la grève, et le courant était toujours froid, si au nord.

Elle conduisit pendant deux heures et demie, traversant les forêts denses des Collines Noires. Enfin l'air chargé de senteurs marines l'avertit qu'elle approchait de son but. Elle avait déjà l'impression de se détendre lorsqu'elle emprunta le sentier menant à *Pirate's Alley*, le vieux motel rustique où elle aimait à faire retraite.

Les petits cottages individuels, entourés de jardins clos, semblaient sortir d'un autre âge, un âge moins trépidant.

Elle pénétra dans la maison des propriétaires pour s'inscrire à la réception. Les hôteliers connaissaient bien le juge Provo, et l'accueillaient toujours avec chaleur.

En la voyant entrer, la directrice parcourut le tableau des clés, qui au lieu de numéros portaient les noms de corsaires célèbres.

— Anna Bonny est libre, annonça-t-elle. C'est celle que vous préférez, n'est-ce-pas ?

— Merci d'y avoir pensé, fit Anna.

— Ravie de vous avoir fait plaisir. Quel bon vent vous amène ? Celui de la tempête annoncée pour ce week-end ?

— J'ai besoin d'une vraie coupure. La semaine a été rude.

— Nous avons reçu du saumon frais, aujourd'hui. En voulez-vous quelques tranches, pour vous remettre d'aplomb ?

Anna la remercia encore. Si elle revenait aussi fidèlement dans cet établissement, c'était parce qu'elle était toujours traitée comme une invitée de marque, une amie.

Elle sortit et suivit le chemin sablonneux jusqu'à sa chaumière privée. En ouvrant la porte, elle se remémora son premier séjour, quand elle s'était renseignée sur le nom d'Anna Bonny.

— Elle était une des rares femmes pirates connues, lui avait-on expliqué. Calico Jack était son amant, d'après la légende.

Tout en rangeant ses affaires, Anna songea à cette Anna dont les amours s'étaient tragiquement terminées — Calico Jack avait été pendu. Avait-elle supporté son chagrin avec fortitude ?

A bout de forces, Anna plaça le poisson au réfrigérateur et se mit au lit. La perspective de faire la cuisine lui paraissait nécessiter un effort surhumain. Par bonheur, le lendemain elle serait libre de paresser aussi longtemps qu'il le faudrait pour que renaisse son énergie.

L'après-midi du samedi, le vent avait forci mais, chaudement vêtue, Anna alla néanmoins marcher sur la plage. Elle portait un grand sac de toile en bandoulière, et y laissait tomber les coquillages, les morceaux de bois ou de verre polis par le ressac qu'elle ramassait. Mais la récolte n'était guère satisfaisante. Si la tempête soufflait cette nuit, demain toutes sortes de trésors émergeraient probablement.

La marée descendait, et à chaque vague qui éclatait, le flot repartait vers le large en un puissant courant. Une violente bourrasque arracha l'écharpe d'Anna. Avant qu'elle puisse la ratrapper elle fut happée par les rouleaux du Pacifique, tellement bruyants que la jeune femme en était assourdie. Le temps devenait décidément trop menaçant, elle allait devoir rentrer.

Elle se tourna vers la terre en balançant son lourd fardeau, et resta figée de stupeur.

Joshua s'avançait vers elle, foulant le sable fin. Que faisait-il par là ? Il l'avait déjà trop blessée. Il avait anéanti sa vie.

Elle se mit à crier, essayant en vain de dominer le vacarme et agitant ses bras :

— Va-t'en ! Va-t'en !

Elle ne perçut que quelques bribes de sa réponse :

— ... Parler !... Comprendre...

En reculant Anna s'enfonça dans un trou, et l'eau glaciale s'engouffra dans ses bottes. En essayant de se dégager, elle perdit l'équilibre et tomba dans l'écume. Son sac, son manteau immédiatement trempés l'alourdissaient, elle ne parvint pas à se relever.

Joshua se précipita et la saisit sous les aisselles, pour la traîner au sec. Gelée, elle se mit à claquer des dents.

— Tu es toute mouillée, taquina-t-il.

— Toi aussi, marmonna-t-elle. Laisse-moi tranquille. Je ne veux pas te parler.

— Même si tu me chasses, nous devons d'abord nous réchauffer et nous changer, riposta-t-il.

— Très bien, céda-t-elle. Tu peux venir quelques instants dans mon pavillon.

Une délicieuse chaleur régnait à l'intérieur du cottage. Anna ôta ses vêtements et se frictionna avec des serviettes éponge pour vaincre son engourdissement. Puis, enveloppée d'une robe de chambre, elle regagna le salon.

Entre-temps, Joshua avait pris des habits de rechange dans sa voiture et les avait enfilés.

— Que fais-tu ici ? lança-t-elle sèchement.

Son sourire, ses fossettes parurent à Anna plus séduisants que jamais. Il répondit avec malice :

— Est-ce une façon de t'adresser à un homme qui vient de te sauver la vie ?

— Je n'aurais eu aucun problème, sans ton apparition.

— Selon ta bonne habitude, tu déformes tout, observa-t-il, amusé.

— Pourquoi es-tu venu ? insista-t-elle. Est-ce parce que Douglas t'a appris que le foyer de groupe m'avait convaincue ? Si ce sont des excuses que tu attends, tu perds ton temps, je te préviens.

Avec une soudaine gravité, il la considéra et déclara doucement :

— Je n'aurais pas fait cent quatre-vingt kilomètres pour obtenir des excuses.

— Alors que veux-tu ?

— Ton père est venu me voir, ce matin. Il a décidé de me parler, car il avait reçu hier un appel du service de génétique de l'hôpital de Washington. Tu avais pris un rendez-vous, mais tu ne l'as pas tenu.

— Evidemment, puisque nous avions rompu. Pourquoi ont-ils contacté papa ?

— Tu leur avais donné ce numéro en plus du tien, au cas où il auraient à te joindre. Et ils voulaient savoir pour quelle raison tu n'y étais pas allée. Tout cela a intrigué ton père qui s'est demandé ce qui t'incitait à consulter un généticien.

— A cause de Niki, il pouvait le deviner ! Il aurait dû me poser la question.

— Mais il ne t'a pas trouvée chez toi, et s'est douté que

tu t'étais réfugiée ici. Aussi, comme toi et moi avions envisagé de nous marier, il a voulu m'expliquer la cause du handicap de ton frère. Sa première phrase a été : « Niki aurait dû être parfait ».

Interdite, elle se laissa tomber sur le sofa. Que signifiaient donc ces mots ? Joshua poursuivit :

— Quand tes parents sont arrivés dans ce pays, ils étaient décidés à réussir leur nouvelle vie. Ils ont travaillé avec un acharnement inouï.

— Je sais.

— Pendant sa première grossesse, ta mère a continué de se surmener. Elle décapait les murs de la boutique, peignait, frottait, astiquait, portait de lourdes caisses…

— Elle n'a pas changé, souffla Anna.

— Ton père se reproche de ne pas l'avoir empêchée. Elle a accouché prématurément, sans son obstétricien mais avec l'interne de garde de l'hôpital. Cela s'est mal passé. Il lui a administré une dose trop forte d'anesthésique, et le bébé a été un moment privé d'oxygène. Le cerveau a subi des lésions…

Il vint s'asseoir à côté d'elle et posa une main sur son épaule.

— Pourquoi ne m'en ont-ils jamais parlé ?

— Ils se sentaient coupables, et personne n'aime s'appesantir sur ce qui lui semble être une faute.

Elle se tourna vers lui, et incapable de résister encore, il l'étreignit avec ferveur.

— Je t'aime, Anna. Je t'aime plus que tu ne peux l'imaginer. Je suis venu pour te le dire, et te dire que tu n'as plus de raison d'avoir peur.

— Je t'aime aussi, chuchota-t-elle. Merci de ne pas avoir renoncé à moi…

Joshua se mit debout et l'entraîna vers la chambre. Là il fit glisser de ses épaules son peignoir en éponge, et se dévêtit lui-même. Dans un silence émerveillé, il la sou-leva pour la poser sur le lit avec d'infinies précautions. Penché au-dessus d'elle, il caressa ses cheveux flam-boyants, le plumage magique de son oiseau de feu.

Quand du bout des doigts il effleura tout son corps, redécouvrant avec délices ses courbes somptueuses, elle exhala un long soupir de joie. A son tour elle caressa sa peau nue, et le sentit frémir à son toucher. Patiemment, ils firent croître ainsi leur exaltation mutuelle, en une symphonie lente d'abord puis riche, pleine, puissante.

Anna laissa échapper un cri de bonheur lorsque, unis enfin, ils atteignirent ensemble un sommet vertigineux. Ils retombèrent comme en flottant dans la réalité, épui-sés et toujours enlacés. Rien, désormais, ne les empê-cherait de créer jour après jour la musique de l'amour.

— Anna, murmura Joshua dans l'oreille de la jeune femme. Veux-tu discuter encore ?

— Bien sûr. De quoi ?

Il se redressa légèrement pour contempler son visage.

— Anna, veux-tu m'épouser ?

— Oui, mon amour, répondit-elle sans une seconde d'hésitation. Oui, et le plus vite possible.

Il rit doucement.

— Cette semaine, sera-ce assez tôt ?

— Non. Mais je m'en contenterai, s'il le faut...

— Quand tu dis « vite », tu ne plaisantes pas ! s'exclama-t-il. Nous pourrions passer au bureau des mariages du palais dès lundi, à l'heure du déjeuner ?

Elle acquiesça d'un air heureux.

— Préfères-tu une cérémonie intime, ou allons-nous inviter quelques amis ?

— *Mama* et *papa* ne me le pardonneraient jamais, s'ils n'assistaient pas à mes noces. Et tes parents, pourront-ils se déplacer aussi rapidement ?

— A l'heure actuelle, ils doivent naviguer quelque part au large des côtes australiennes. Mais Douglas se fera un plaisir de représenter ma famille. C'est toujours avec lui que j'ai eu les liens les plus intimes, quoi qu'il en soit.

Il roula sur le dos et attira Anna sur lui.

— Quel jour choisirons-nous ? Le week-end prochain ?

— Une double cérémonie ? Samedi on fête la création du foyer de groupe. Tous ceux que nous aimons seront présents. Nous leur ferons la surprise.

— Magnifique ! Voyons, n'avons-nous oublié aucun détail ?

Comme pour s'en assurer, il se mit à détailler amoureusement les traits d'Anna, puis l'écarta légèrement pour explorer par ses caresses chaque partie de son corps satiné. Perdant toute notion du temps, ils restèrent des heures à se combler mutuellement. A la nuit ils s'endormirent dans une paix profonde, serrés l'un contre l'autre.

Durant la semaine qui suivit, ils eurent peine à ne pas trahir leur secret. Le samedi, au moment de partir pour l'île de Vashon, ils exultaient. Un soleil resplendissant brillait sur un paysage en harmonie avec leur humeur radieuse. Sur le feuillage roussi des arbres étincelaient des myriades de gouttelettes d'eau, restées de la gelée matinale.

Avec une parfaite ponctualité, ils s'arrêtèrent devant Eloise Manor à midi juste.

— Quel beau couple vous faites, complimenta Douglas quand ils entrèrent, les bras chargés de petits fours.

— Merci, Douglas, fit Anna en l'embrassant.

Au salon, le téléviseur qu'elle avait commandé trônait

sur un guéridon. Niki vint étreindre sa sœur avec vigueur.

— Bonjour, Anna ! Tu as apporté de bonnes choses ?

— Tes préférées, mais défense de grignoter avant l'arrivée des invités.

— Je sais, soupira-t-il. Douglas nous a prévenus que si quelqu'un touchait à ses tartelettes, il aurait des corvées de cuisine supplémentaires !

Elle lui sourit, puis remarqua Scott qui se tenait dans le couloir.

— Tu es très élégant, le félicita-t-elle. Est-ce une chemise neuve que tu portes ?

Le jeune homme hocha la tête d'un air ravi.

Au fur et à mesure qu'entraient les participants à la fête, ils s'extasiaient sur les nouveaux ornements apportés à la maison. La mère de Robert avait confectionné un superbe édredon en patchwork, des tableaux de Sue égayaient les murs, Mama Provo avait suspendu aux fenêtres des rideaux aux tons chauds, Papa Provo avait installé un atelier pour le travail du bois... Et ceux qui avaient rendu tout cela possible bavardaient avec animation, par petits groupes. Joshua les observa tour à tour, ému de ce qu'ensemble, ils avaient accompli. Jamais il n'avait eu à ce point l'impression d'être entouré d'une famille, une vraie famille, une famille aimante. Douglas, Niki, *mama* et *papa*, et bien sûr Anna... Et leurs propres enfants s'ajouteraient un jour à cette joyeuse assemblée. Il sourit.

Anna se tourna vers lui à ce moment, et chuchota :

— Es-tu prêt ?

— Oui. Donne-moi un dernier baiser, Anna Provo. La prochaine fois tu seras Mme Brandon.

Docile, elle se dressa sur la pointe des pieds pour

l'embrasser. Puis Joshua prit un verre et le heurta avec une fourchette pour obtenir le silence.

— Mes chers amis, déclara-t-il d'une voix forte. Si je requiers ainsi votre attention, c'est que nous avons une surprise à vous annoncer, Anna et moi. Nous avons en poche notre autorisation de mariage. Le juge Ben Walker, qui a bien voulu se rendre à cette petite réunion, va officialiser dès maintenant la cérémonie.

Un tonnerre d'applaudissements et d'acclamations salua cette nouvelle. Le jeune couple fut entouré et félicité avec effusion.

— Mais l'épouse doit tenir un bouquet, rappela Sue.

— Qu'à cela ne tienne, répliqua Joshua.

Il s'empara d'une brassée de chrysanthèmes dans un vase, entoura les tiges d'une serviette, et les tendit à Anna.

— Qu'est-ce qu'une mariée sans voile ? protesta *mama*, en larmes.

Souriante, Anna défit le foulard que portait toujours sa mère et le noua sur sa propre tête.

— Tu vois ? Pourquoi pleurer ?

— Toute mère doit pleurer aux noces de sa fille, intervint *papa* en embrassant Anna. C'est parce que la joie est si grande, oiseau de feu.

Ben Walker alla se placer devant la grande table, et les invités s'écartèrent. Joshua appela :

— Niki, Sue, voulez-vous être nos témoins ?

Ils acceptèrent aussitôt, et Joshua expliqua à Niki quand il devrait leur donner les alliances. *Papa* escorta Anna jusqu'à l'autel improvisé. Avant de l'abandonner à son futur époux, il ôta une fleur de ses mains et en éparpilla les pétales sur les mariés.

Anna et Joshua prononcèrent solennellement leurs serments d'amour, et chacun mit à l'autre le mince anneau d'or qui symbolisait leur union. Ils échangèrent leur premier baiser d'époux dans le recueillement le plus total.

Quelques notes de musique rompirent finalement le silence. La mélodie que joua Scott sur son harmonica n'était connue que de lui seul, mais elle exprimait à la perfection toute l'émotion de cet instant.

Joshua enlaça la taille de sa compagne, et l'entraîna dans une valse lente à travers la pièce. D'autres couples se joignirent bientôt à eux. En harmonie l'un avec l'autre et avec ceux qu'ils aimaient, voilà comment s'inaugura la vie conjugale d'Anna et de Joshua.

EPILOGUE

LES semaines, les mois passèrent. En juin de l'année suivante, Joshua conduisait le minibus qu'Anna et lui avaient offert au foyer de groupe. La jeune femme était assise à l'avant, entre lui et Douglas. Sur les banquettes arrière étaient serrés Niki, Robert, Scott, et les autres pensionnaires d'Eloise Manor.

En descendant de Chinook Pass vers Squaw Rock, où se tenait la réunion annuelle des Provoloski, Joshua songea à la dernière fois qu'il avait parcouru ce trajet. A l'époque il ne savait à quoi s'attendre exactement. A présent, il se réjouissait à l'avance de la fête bruyante qu'il allait trouver.

Derrière lui, les jeunes gens terminaient le vingtième kilomètre de la chanson « Un kilomètre à pied, ça use ». Il esquissa une grimace, en priant avec ferveur qu'ils n'entonnent pas un vingt-et-unième couplet.

— J'ai peur, murmura Robert en contemplant la rivière, tout au fond de la vallée. C'est haut !

— Change de place avec lui, Niki, conseilla Douglas. Toi tu as l'habitude de cette route, laisse Robert se placer au milieu.

— Oui, chef, acquiesça Niki.

Anna sourit de ce surnom dont Niki, le premier, avait

affublé leur responsable. Ses camarades l'avaient très vite imité. Et en effet, Douglas tenait bien en main ses cinq protégés.

Dès l'arrivée, il les mit au travail pour leur faire décharger le véhicule et dresser les tentes. Prudent, Joshua avait cette année réservé une cabane pour Anna et lui. Pas question de renouveler son expérience de camping avec Niki !

A peine finissaient-ils de s'y installer, que le jeune homme se précipita à leur rencontre.

— Josh ! héla-t-il. Emmène-moi pêcher.

— Pas maintenant, Niki. Anna et moi allons saluer nos amis.

Niki fit la moue et s'apprêta à protester. Mais il se ravisa :

— Bon, je vais faire comme dit Douglas. Tenir ma langue.

Anna et Joshua rirent aux éclats. La première fois que Douglas avait ainsi rappelé Niki à l'ordre, ce dernier avait tiré la langue et refermé dessus son pouce et son index. Après quelques minutes, Robert lui demandant s'il était devenu fou, il avait compris.

Le couple trouva les Hewitt assis autour d'une table de pique-nique. Les jumeaux, qui marchaient depuis quelques mois, faisaient la chasse aux écureuils, dans l'herbe.

— Je suis heureuse que vous ayez pu venir, déclara Anna.

— Deux semaines plus tard, c'eût été impossible, répondit Julie. Gary a reçu sa nouvelle affectation. A la fin du mois nous partons en Alaska.

Anna regarda Joshua jouer avec les deux bambins; ils allaient lui manquer. Mais elle avait une nouvelle à partager avec lui qui effacerait sa peine...

Quand ils allèrent marcher main dans la main au bord de la rivière, elle jugea le moment propice.

— Je n'ai pas pu déjeuner, aujourd'hui, raconta-t-elle d'un air dégagé.

— Trop de travail pour sortir ? s'enquit-il.

— Non. J'avais rendez-vous chez le médecin.

Elle n'eut pas le temps de lui en révéler la cause. Il la souleva de terre, les yeux brillants, et demanda avec impatience :

— Tu es enceinte ?

— Oui, fit-elle en riant. Oui !

Il sema une pluie de baisers sur son visage et la fit tournoyer entre ses bras. Niki les surprit ainsi, blottis l'un contre l'autre, titubants de bonheur.

— Vous dansez déjà ? s'étonna-t-il. Il n'y a pas encore de musique.

Anna tourna la tête vers lui et sourit.

— Si, grand frère. Ecoute bien.

Perplexe, il tendit l'oreille.

— Je n'entends rien...

Joshua s'approcha de lui et lui administra une vigoureuse bourrade entre les omoplates.

— Tu vas être oncle, Niki ! Anna attend un bébé !

— Vraiment ? Le pauvre ! J'espère qu'il sera moins bizarre que vous deux...

Tendrement enlacés, Anna et Joshua regagnèrent le campement afin d'annoncer que la famille compterait l'année prochaine un membre supplémentaire. Le crépuscule fit rougeoyer la cime des montagnes. Anna contempla le spectacle, ivre de bonheur; car dans son cœur, par contre, plus jamais le soleil ne se cacherait.

Harlequin vous offre dès aujourd'hui de partager et savourer la nouvelle série Harlequin Édition Spéciale…les
meilleures histoires d'amour.

Des millions de lectrices ont déjà accueilli avec enthousiasme ces histoires passionnantes. Venez découvrir avec
elles la Série Édition Spéciale.

FES-A-1

Harlequin Tentation

De nouveaux romans sensuels, chaleureux,
excitants, où l'amour triomphe des
contraintes, des dilemmes, et vient
réchauffer votre cœur comme une caresse...

Dites oui à
l'amour, à l'infinie
tendresse d'un
sourire partagé, à la
secrète complicité
de deux corps vibrant
l'un contre l'autre.

Harlequin Tentation, 3 nouveaux titres par mois!
Vous les trouverez dès aujourd'hui chez votre
dépositaire.

Harlequin Tentation, on n'y résiste pas!

TENT-1

De nouveaux héros séduisants et mystérieux
vous attendent tous les mois dans la

Collection ❖ Harlequin®

Ils sont au rendez-vous...
dans 6 nouveaux romans
tous les mois.

Ne les manquez pas!

Collection Harlequin

Les chefs-d'oeuvre du roman d'amour

Recevez chez vous 6 nouveaux livres chaque mois... et les 4 premiers sont GRATUITS!

Associez-vous avec toutes les femmes qui reçoivent chaque mois les romans Harlequin, sans avoir à sortir de chez vous, sans risquer de manquer un seul titre.

Des histoires d'amour écrites pour la femme d'aujourd'hui

...est une magie toute spéciale qui se dégage de chaque roman Harlequin. Ecrites par des femmes d'aujourd'hui pour les femmes d'aujourd'hui, ces aventures passionnées et passionnantes vous transporteront dans des pays proches ou lointains, vous feront rencontrer des gens qui osent dire "oui" à l'amour.

Que vous lisiez pour vous détendre ou par esprit d'aventure, vous serez chaque fois témoin et complice d'hommes et de femmes qui vivent pleinement leur destin.

Une offre irrésistible!

Recevez, *sans aucune obligation de votre part,* quatre romans Harlequin tout à fait *gratuits!*

Puis nous vous enverrons, chaque mois suivant, six nouveaux romans d'amour, au bas prix de $1.75 chacun (soit $10.50 par mois) sans frais de port ou de manutention.

Mais vous ne vous engagez à rien: vous pouvez annuler votre abonnement à tout moment, quel que soit le nombre de volumes que vous aurez achetés. Et, même si vous n'en achetez pas un seul, vous pourrez conserver vos 4 livres gratuits!

Achevé d'imprimer en octobre 1985
sur les presses de l'imprimerie Bussière
à Saint-Amand (Cher)

— N° d'imprimeur : 2387. —
— N° d'éditeur : 832. —
Dépôt légal : novembre 1985.

Imprimé en France